Vanina Vanini

ou

particularités
sur la dernière vente
de carbonari[1] découverte
dans les États du pape[2]

1. ***Carbonari***: membres d'une société secrète créée au début du XIXe siècle pour lutter en faveur des idées libérales et de l'unification italienne. Une *vente* est une cellule ou une réunion des membres de cette société.
2. ***États du pape*** (ou États pontificaux) : partie de l'Italie qui formait alors autour de Rome le domaine temporel du pape (voir carte de l'Italie, p. 18).

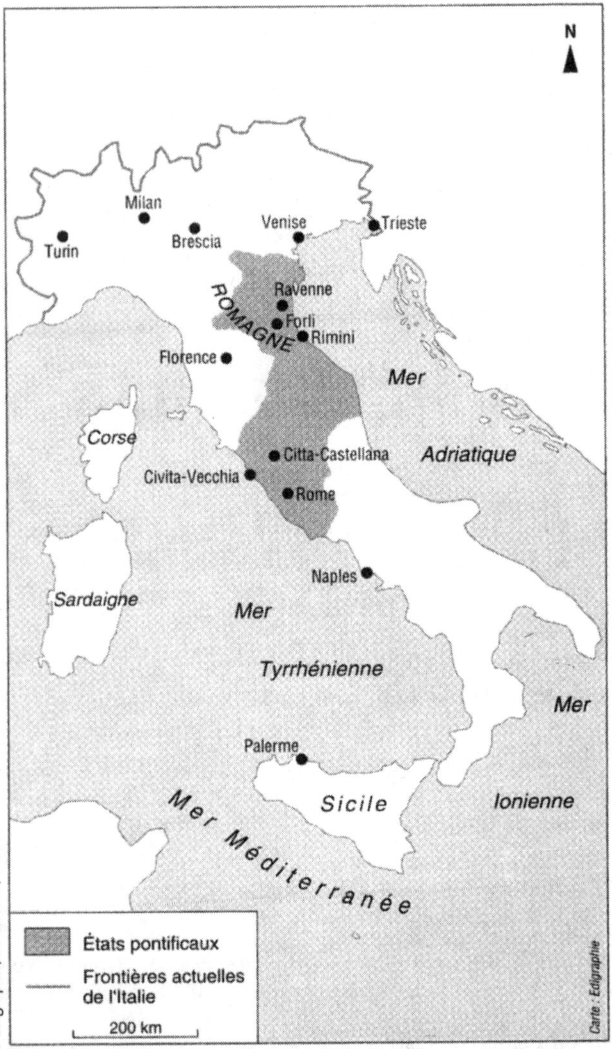

■ Carte de l'Italie.

C'était un soir du printemps de 182*. Tout Rome était en mouvement : M. le duc de B***, ce fameux banquier, donnait un bal dans son nouveau palais de la place de Venise. Tout ce que les arts de l'Italie, tout ce que le luxe de Paris et de Londres peuvent produire de plus magnifique avait été réuni pour l'embellissement de ce palais. Le concours [1] était immense. Les beautés blondes et réservées de la noble Angleterre avaient brigué l'honneur d'assister à ce bal ; elles arrivaient en foule. Les plus belles femmes de Rome leur disputaient le prix de la beauté. Une jeune fille que l'éclat de ses yeux et ses cheveux d'ébène proclamaient Romaine entra conduite par son père ; tous les regards la suivirent. Un orgueil singulier éclatait dans chacun de ses mouvements.

On voyait les étrangers qui entraient frappés de la magnificence de ce bal. « Les fêtes d'aucun des rois de l'Europe, disaient-ils, n'approchent point de ceci. »

Les rois n'ont pas un palais d'architecture romaine : ils sont obligés d'inviter les grandes dames de leur cour ; M. le duc de B*** ne prie [2] que de jolies femmes. Ce soir-là il avait été heureux dans ses invitations ; les hommes semblaient éblouis. Parmi tant de femmes remarquables il fut question de décider quelle était la plus belle : le choix resta quelque temps indécis ; mais enfin la princesse Vanina Vanini, cette jeune fille aux cheveux noirs et à l'œil de feu, fut proclamée la reine du bal. Aussitôt les étrangers et les jeunes Romains, abandonnant tous les autres salons, firent foule dans celui où elle était.

1. ***Concours*** : affluence.
2. ***Ne prie*** : n'invite.

Son père, le prince don Asdrubale Vanini, avait voulu qu'elle dansât d'abord avec deux ou trois souverains d'Allemagne. Elle accepta ensuite les invitations de quelques Anglais fort beaux et fort nobles ; leur air empesé [1] l'ennuya. Elle parut prendre plus de plaisir à tourmenter le jeune Livio Savelli qui semblait fort amoureux. C'était le jeune homme le plus brillant de Rome, et de plus lui aussi était prince ; mais, si on lui eût donné à lire un roman, il eût jeté le volume au bout de vingt pages, disant qu'il lui donnait mal à la tête. C'était un désavantage aux yeux de Vanina.

Vers le minuit une nouvelle se répandit dans le bal, et fit assez d'effet. Un jeune carbonaro, détenu au fort Saint-Ange [2], venait de se sauver le soir même, à l'aide d'un déguisement, et, par un excès d'audace romanesque, arrivé au dernier corps de garde de la prison, il avait attaqué les soldats avec un poignard ; mais il avait été blessé lui-même, les sbires [3] le suivaient dans les rues à la trace de son sang, et on espérait le ravoir.

Comme on racontait cette anecdote, don Livio Savelli, ébloui des grâces et des succès de Vanina, avec laquelle il venait de danser, lui disait en la reconduisant à sa place, et presque fou d'amour :

« Mais, de grâce, qui donc pourrait vous plaire ?

– Ce jeune carbonaro qui vient de s'échapper, lui répondit Vanina ; au moins celui-là a fait quelque chose de plus que de se donner la peine de naître [4]. »

Le prince don Asdrubale s'approcha de sa fille. C'est un homme riche qui depuis vingt ans n'a pas compté avec son intendant [5], lequel lui prête ses propres revenus à un intérêt fort

---

1. ***Empesé*** : manquant de naturel.
2. ***Fort Saint-Ange*** (ou château Saint-Ange) : citadelle qui servait de prison.
3. ***Sbires*** : agents de police chargés d'arrêter les criminels.
4. [...] ***Se donner la peine de naître*** : voir le monologue de Figaro dans *Le Barbier de Séville* (acte V, scène 3) de Beaumarchais : « ... Noblesse, fortune, un rang, des places ; tout cela rend si fier ! Qu'avez-vous fait pour tant de biens ! Vous vous êtes donné la peine de naître, et rien de plus. »
5. ***N'a pas compté avec son intendant*** : ne s'est pas préoccupé des comptes.

élevé. Si vous le rencontrez dans la rue, vous le prendrez pour un vieux comédien ; vous ne remarquerez pas que ses mains sont chargées de cinq ou six bagues énormes garnies de diamants fort gros. Ses deux fils se sont faits jésuites[1], et ensuite sont morts fous. Il les a oubliés ; mais il est fâché que sa fille unique, Vanina, ne veuille pas se marier. Elle a déjà dix-neuf ans, et a refusé les partis les plus brillants. Quelle est sa raison ? La même que celle de Sylla[2] pour abdiquer, *son mépris pour les Romains*.

Le lendemain du bal, Vanina remarqua que son père, le plus négligent des hommes, et qui de la vie ne s'était donné la peine de prendre une clef, fermait avec beaucoup d'attention la porte d'un petit escalier qui conduisait à un appartement situé au troisième étage du palais. Cet appartement avait des fenêtres sur une terrasse garnie d'orangers. Vanina alla faire quelques visites dans Rome ; au retour, la grande porte du palais étant embarrassée par les préparatifs d'une illumination, la voiture rentra par les cours de derrière. Vanina leva les yeux, et vit avec étonnement qu'une des fenêtres de l'appartement que son père avait fermé avec tant de soin était ouverte. Elle se débarrassa de sa dame de compagnie, monta dans les combles[3] du palais, et à force de chercher parvint à trouver une petite fenêtre grillée[4] qui donnait sur la terrasse garnie d'orangers. La fenêtre ouverte qu'elle avait remarquée était à deux pas d'elle. Sans doute cette chambre était habitée ; mais par qui ? Le lendemain Vanina parvint à se procurer la clef d'une petite porte qui ouvrait sur la terrasse garnie d'orangers.

Elle s'approcha à pas de loup de la fenêtre qui était encore ouverte. Une persienne servit à la cacher. Au fond de la chambre il y avait un lit et quelqu'un dans ce lit. Son premier mouvement fut de se retirer ; mais elle aperçut une robe de femme jetée sur une

---

1. ***Jésuites*** : membres de l'ordre religieux appelé Société de Jésus.
2. ***Sylla*** (138-78 av. J.-C.) : brillante figure de l'histoire romaine. Général, consul, puis dictateur, il abdiqua en 79 av. J.-C.
3. ***Combles*** : partie la plus haute du palais, située sous les toits.
4. ***Grillée*** : pourvue d'une grille.

chaise. En regardant mieux la personne qui était au lit elle vit qu'elle était blonde, et apparemment fort jeune. Elle ne douta plus que ce ne fût une femme. La robe jetée sur une chaise était ensanglantée ; il y avait aussi du sang sur des souliers de femme placés sur une table. L'inconnue fit un mouvement ; Vanina s'aperçut qu'elle était blessée. Un grand linge taché de sang couvrait sa poitrine ; ce linge n'était fixé que par des rubans ; ce n'était pas la main d'un chirurgien qui l'avait placé ainsi. Vanina remarqua que chaque jour, vers les quatre heures, son père s'enfermait dans son appartement, et ensuite allait vers l'inconnue ; il redescendait bientôt, et montait en voiture pour aller chez la comtesse Vitteleschi. Dès qu'il était sorti, Vanina montait à la petite terrasse, d'où elle pouvait apercevoir l'inconnue. Sa sensibilité était vivement excitée en faveur de cette jeune femme si malheureuse ; elle cherchait à deviner son aventure. La robe ensanglantée jetée sur une chaise paraissait avoir été percée de coups de poignard. Vanina pouvait compter les déchirures. Un jour elle vit l'inconnue plus distinctement : ses yeux bleus étaient fixés dans le ciel ; elle semblait prier. Bientôt des larmes remplirent ses beaux yeux ; la jeune princesse eut bien de la peine à ne pas lui parler. Le lendemain Vanina osa se cacher sur la petite terrasse avant l'arrivée de son père. Elle vit don Asdrubale entrer chez l'inconnue ; il portait un petit panier où étaient des provisions. Le prince avait l'air inquiet, et ne dit pas grand-chose. Il parlait si bas que, quoique la porte-fenêtre fût ouverte, Vanina ne put entendre ses paroles. Il partit aussitôt. « Il faut que cette pauvre femme ait des ennemis bien terribles, se dit Vanina, pour que mon père, d'un caractère si insouciant, n'ose se confier à personne et se donne la peine de monter cent vingt marches chaque jour. »

Un soir, comme Vanina avançait doucement la tête vers la croisée de l'inconnue, elle rencontra ses yeux, et tout fut découvert. Vanina se jeta à genoux, et s'écria :

« Je vous aime, je vous suis dévouée. »

L'inconnue lui fit signe d'entrer.

« Que je vous dois d'excuses, s'écria Vanina, et que ma sotte curiosité doit vous sembler offensante ! Je vous jure le secret, et, si vous l'exigez, jamais je ne reviendrai.

– Qui pourrait ne pas trouver du bonheur à vous voir ? dit l'inconnue. Habitez-vous ce palais ?

– Sans doute, répondit Vanina. Mais je vois que vous ne me connaissez pas : je suis Vanina, fille de don Asdrubale. »

L'inconnue la regarda d'un air étonné, rougit beaucoup, puis ajouta :

« Daignez me faire espérer que vous viendrez me voir tous les jours ; mais je désirerais que le prince ne sût pas vos visites. »

Le cœur de Vanina battait avec force ; les manières de l'inconnue lui semblaient remplies de distinction. Cette pauvre jeune femme avait sans doute offensé quelque homme puissant ; peut-être dans un moment de jalousie avait-elle tué son amant ? Vanina ne pouvait voir une cause vulgaire [1] à son malheur. L'inconnue lui dit qu'elle avait reçu une blessure dans l'épaule, qui avait pénétré jusqu'à la poitrine et la faisait beaucoup souffrir. Souvent elle se trouvait la bouche pleine de sang.

« Et vous n'avez pas de chirurgien ! s'écria Vanina.

– Vous savez qu'à Rome, dit l'inconnue, les chirurgiens doivent à la police un rapport exact de toutes les blessures qu'ils soignent. Le prince daigne lui-même serrer mes blessures avec le linge que vous voyez. »

L'inconnue évitait avec une grâce parfaite de s'apitoyer sur son accident ; Vanina l'aimait à la folie. Une chose pourtant étonna beaucoup la jeune princesse, c'est qu'au milieu d'une conversation assurément fort sérieuse l'inconnue eut beaucoup de peine à supprimer une envie subite de rire.

« Je serais heureuse, lui dit Vanina, de savoir votre nom.

– On m'appelle Clémentine.

– Eh bien ! chère Clémentine, demain à cinq heures je viendrai vous voir. »

---

1. ***Vulgaire*** : ordinaire.

Le lendemain Vanina trouva sa nouvelle amie fort mal.

« Je veux vous amener un chirurgien, dit Vanina en l'embrassant.

– J'aimerais mieux mourir, dit l'inconnue. Voudrais-je compromettre mes bienfaiteurs ?

– Le chirurgien de Mgr Savelli-Catanzara, le gouverneur de Rome, est fils d'un de nos domestiques, reprit vivement Vanina ; il nous est dévoué, et par sa position ne craint personne. Mon père ne rend pas justice à sa fidélité ; je vais le faire demander.

– Je ne veux pas de chirurgien, s'écria l'inconnue avec une vivacité qui surprit Vanina. Venez me voir, et si Dieu doit m'appeler à lui, je mourrai heureuse dans vos bras. »

Le lendemain l'inconnue était plus mal.

« Si vous m'aimez, dit Vanina en la quittant, vous verrez un chirurgien.

– S'il vient, mon bonheur s'évanouit.

– Je vais l'envoyer chercher », reprit Vanina.

Sans rien dire, l'inconnue la retint, et prit sa main qu'elle couvrit de baisers. Il y eut un long silence, l'inconnue avait les larmes aux yeux. Enfin, elle quitta la main de Vanina, et de l'air dont elle serait allée à la mort, lui dit :

« J'ai un aveu à vous faire. Avant-hier, j'ai menti en disant que je m'appelais Clémentine ; je suis un malheureux carbonaro… »

Vanina étonnée recula sa chaise et bientôt se leva.

« Je sens, continua le carbonaro, que cet aveu va me faire perdre le seul bien qui m'attache à la vie ; mais il est indigne de moi de vous tromper. Je m'appelle Pietro Missirilli ; j'ai dix-neuf ans ; mon père est un pauvre chirurgien de Saint-Angelo-in-Vado, moi je suis carbonaro. On a surpris notre *vente*[1] ; j'ai été amené, enchaîné, de la Romagne[2] à Rome. Plongé dans un cachot éclairé jour et nuit par une lampe, j'y ai passé treize mois. Une âme

1. ***Vente*** : voir note 1, p. 17.
2. ***Romagne*** : province d'Italie ayant pour capitale Ravenne.

charitable a eu l'idée de me faire sauver. On m'a habillé en femme. Comme je sortais de prison et passais devant les gardes de la dernière porte, l'un d'eux a maudit les carbonari ; je lui ai donné un soufflet. Je vous assure que ce ne fut pas une vaine bravade[1], mais tout simplement une distraction. Poursuivi la nuit dans les rues de Rome après cette imprudence, blessé de coups de baïonnette, perdant déjà mes forces, je monte dans une maison dont la porte était ouverte ; j'entends les soldats qui montent après moi, je saute dans un jardin ; je tombe à quelques pas d'une femme qui se promenait.

– La comtesse Vitteleschi ! l'amie de mon père, dit Vanina.

– Quoi ! vous l'a-t-elle dit ? s'écria Missirilli. Quoi qu'il en soit, cette dame, dont le nom ne doit jamais être prononcé, me sauva la vie. Comme les soldats entraient chez elle pour me saisir, votre père m'en faisait sortir dans sa voiture. Je me sens fort mal : depuis quelques jours ce coup de baïonnette dans l'épaule m'empêche de respirer. Je vais mourir, et désespéré, puisque je ne vous verrai plus. »

Vanina avait écouté avec impatience ; elle sortit rapidement : Missirilli ne trouva nulle pitié dans ces yeux si beaux, mais seulement l'expression d'un caractère altier que l'on vient de blesser.

À la nuit, un chirurgien parut ; il était seul, Missirilli fut au désespoir ; il craignait de ne revoir jamais Vanina. Il fit des questions au chirurgien, qui le saigna et ne lui répondit pas. Même silence les jours suivants. Les yeux de Pietro ne quittaient pas la fenêtre de la terrasse par laquelle Vanina avait coutume d'entrer ; il était fort malheureux. Une fois, vers minuit, il crut apercevoir quelqu'un dans l'ombre sur la terrasse : était-ce Vanina ?

Vanina venait toutes les nuits coller sa joue contre les vitres de la fenêtre du jeune carbonaro. « Si je lui parle, se disait-elle, je suis perdue ! Non, jamais je ne dois le revoir ! »

Cette résolution arrêtée, elle se rappelait, malgré elle, l'amitié qu'elle avait prise pour ce jeune homme, quand si sottement elle

1. ***Bravade*** : attitude de défi insolent.

le croyait une femme. Après une intimité si douce, il fallait donc l'oublier ! Dans ses moments les plus raisonnables, Vanina était effrayée du changement qui avait lieu dans ses idées. Depuis que Missirilli s'était nommé, toutes les choses auxquelles elle avait l'habitude de penser s'étaient comme recouvertes d'un voile, et ne paraissaient plus que dans l'éloignement.

Une semaine ne s'était pas écoulée, que Vanina, pâle et tremblante entra dans la chambre du jeune carbonaro avec le chirurgien. Elle venait lui dire qu'il fallait engager le prince à se faire remplacer par un domestique. Elle ne resta pas dix secondes ; mais quelques jours après elle revint encore avec le chirurgien, par humanité. Un soir, quoique Missirilli fût bien mieux, et que Vanina n'eût plus le prétexte de craindre pour sa vie, elle osa venir seule. En la voyant, Missirilli fut au comble du bonheur, mais il songea à cacher son amour ; avant tout, il ne voulait pas s'écarter de la dignité convenable à un homme. Vanina, qui était entrée chez lui le front couvert de rougeur, et craignant des propos d'amour, fut déconcertée de l'amitié noble et dévouée, mais fort peu tendre, avec laquelle il la reçut. Elle partit sans qu'il essayât de la retenir.

Quelques jours après, lorsqu'elle revint, même conduite, mêmes assurances [1] de dévouement respectueux et de reconnaissance éternelle. Bien loin d'être occupée à mettre un frein aux transports du jeune carbonaro, Vanina se demanda si elle aimait seule [2]. Cette jeune fille, jusque-là si fière, sentit amèrement toute l'étendue de sa folie. Elle affecta de la gaieté [3] et même de la froideur, vint moins souvent, mais ne put prendre sur elle de cesser de voir le jeune malade.

Missirilli, brûlant d'amour, mais songeant à sa naissance obscure et à ce qu'il se devait, s'était promis de ne descendre à parler d'amour que si Vanina restait huit jours sans le voir. L'orgueil de la

1. ***Assurances*** : promesses.
2. ***Si elle aimait seule*** : si elle était la seule (des deux) à aimer.
3. ***Affecta de la gaieté*** : fit semblant d'être gaie.

jeune princesse combattit pied à pied. « Eh bien ! se dit-elle enfin, si je le vois, c'est pour moi, c'est pour me faire plaisir, et jamais je ne lui avouerai l'intérêt qu'il m'inspire. » Elle faisait de longues visites à Missirilli, qui lui parlait comme il eût pu faire si vingt personnes eussent été présentes. Un soir, après avoir passé la journée à le détester et à se bien promettre d'être avec lui encore plus froide et plus sévère qu'à l'ordinaire, elle lui dit qu'elle l'aimait. Bientôt elle n'eut plus rien à lui refuser.

Si sa folie fut grande, il faut avouer que Vanina fut parfaitement heureuse. Missirilli ne songea plus à ce qu'il croyait devoir à sa dignité d'homme ; il aima comme on aime pour la première fois à dix-neuf ans et en Italie. Il eut tous les scrupules de l'amour-passion [1], jusqu'au point d'avouer à cette jeune princesse si fière la politique dont il avait fait usage pour s'en faire aimer. Il était étonné de l'excès de son bonheur. Quatre mois passèrent bien vite. Un jour, le chirurgien rendit la liberté à son malade. « Que vais-je faire ? pensa Missirilli ; rester caché chez une des plus belles personnes de Rome ? Et les vils tyrans qui m'ont tenu treize mois en prison sans me laisser voir la lumière du jour croiront m'avoir découragé ! Italie, tu es vraiment malheureuse, si tes enfants t'abandonnent pour si peu ! »

Vanina ne doutait pas que le plus grand bonheur de Pietro ne fût de lui rester à jamais attaché ; il semblait trop heureux ; mais un mot du général Bonaparte retentissait amèrement dans l'âme de ce jeune homme, et influençait toute sa conduite à l'égard des femmes. En 1796, comme le général Bonaparte quittait Brescia [2], les municipaux qui l'accompagnaient à la porte de la ville lui disaient que les Bressans aimaient la liberté par-dessus tous les autres Italiens. « Oui, répondit-il, ils aiment à en parler à leurs maîtresses. »

---

1. *L'amour-passion* : défini par Stendhal comme l'amour qui « nous emporte au travers de tous nos intérêts », caractéristique selon lui des Italiens (*De l'amour*).

2. *Brescia* : ville de Lombardie, à l'est de Milan, prise par Napoléon pendant la campagne d'Italie (1796-1797).

Missirilli dit à Vanina d'un air assez contraint :

« Dès que la nuit sera venue, il faut que je sorte.

– Aie bien soin de rentrer au palais avant le point du jour ; je t'attendrai.

– Au point du jour je serai à plusieurs milles de Rome.

– Fort bien, dit Vanina froidement, et où irez-vous ?

– En Romagne, me venger.

– Comme je suis riche, reprit Vanina de l'air le plus tranquille, j'espère que vous accepterez de moi des armes et de l'argent. »

Missirilli la regarda quelques instants sans sourciller ; puis, se jetant dans ses bras :

« Âme de ma vie, tu me fais tout oublier, lui dit-il, et même mon devoir. Mais plus ton cœur est noble, plus tu dois me comprendre. »

Vanina pleura beaucoup, et il fut convenu qu'il ne quitterait Rome que le surlendemain.

« Pietro, lui dit-elle le lendemain, souvent vous m'avez dit qu'un homme connu, qu'un prince romain, par exemple, qui pourrait disposer de beaucoup d'argent, serait en état de rendre les plus grands services à la cause de la liberté, si jamais l'Autriche [1] est engagée loin de nous, dans quelque grande guerre.

– Sans doute, dit Pietro étonné.

– Eh bien ! vous avez du cœur ; il ne vous manque qu'une haute position ; je viens vous offrir ma main et deux cent mille livres de rentes. Je me charge d'obtenir le consentement de mon père. »

Pietro se jeta à ses pieds ; Vanina était rayonnante de joie.

« Je vous aime avec passion, lui dit-il ; mais je suis un pauvre serviteur de la patrie ; mais plus l'Italie est malheureuse, plus je dois lui rester fidèle. Pour obtenir le consentement de don Asdrubale, il faudra jouer un triste rôle pendant plusieurs années. Vanina, je te refuse. »

Missirilli se hâta de s'engager par ce mot. Le courage allait lui manquer.

---

1. ***L'Autriche*** : toute l'Italie du Nord est alors sous domination autrichienne.

« Mon malheur, s'écria-t-il, c'est que je t'aime plus que c'est que quitter Rome est pour moi le pire des supplices. A que l'Italie n'est-elle délivrée des barbares ! Avec quel plaisir je m'embarquerais avec toi pour aller vivre en Amérique. »

Vanina restait glacée. Ce refus de sa main avait étonné[1] son orgueil ; mais bientôt elle se jeta dans les bras de Missirilli.

« Jamais tu ne m'as semblé aussi aimable, s'écria-t-elle ; oui, mon petit chirurgien de campagne, je suis à toi pour toujours. Tu es un grand homme comme nos anciens Romains. »

Toutes les idées d'avenir, toutes les tristes suggestions du bon sens disparurent ; ce fut un instant d'amour parfait. Lorsque l'on put parler raison :

« Je serai en Romagne presque aussitôt que toi, dit Vanina. Je vais me faire ordonner les bains de la *Poretta*. Je m'arrêterai au château que nous avons à San Nicole près de Forli…

– Là, je passerai ma vie avec toi ! s'écria Missirilli.

– Mon lot désormais est de tout oser, reprit Vanina avec un soupir. Je me perdrai pour toi, mais n'importe… Pourras-tu aimer une fille déshonorée ?

– N'es-tu pas ma femme, dit Missirilli, et une femme à jamais adorée ? Je saurai t'aimer et te protéger. »

Il fallait que Vanina allât dans le monde. À peine eut-elle quitté Missirilli, qu'il commença à trouver sa conduite barbare.

« Qu'est-ce que la *patrie* ? se dit-il. Ce n'est pas un être à qui nous devions de la reconnaissance pour un bienfait, et qui soit malheureux et puisse nous maudire si nous y manquons. La *patrie* et la *liberté*, c'est comme mon manteau, c'est une chose qui m'est utile, que je dois acheter, il est vrai, quand je ne l'ai pas reçue en héritage de mon père ; mais enfin j'aime la patrie et la liberté, parce que ces deux choses me sont utiles. Si je n'en ai que faire, si elles sont pour moi comme un manteau au mois d'août, à quoi bon les acheter, et à un prix énorme ? Vanina est si belle ! Elle a un génie si singulier ! On

1. ***Avait étonné*** : (sens fort et ancien) avait violemment troublé.

[…]plaire ; elle m'oubliera. Quelle est la femme qui n'a […]n amant ? Ces princes romains, que je méprise […]s, ont tant d'avantages sur moi ! Ils doivent être bien […] ! si je pars, elle m'oublie, et je la perds pour jamais. »

[…] de la nuit, Vanina vint le voir ; il lui dit l'incertitude o[…] d'être plongé, et la discussion à laquelle, parce qu'il l'aimait, il avait livré ce grand mot de *patrie*. Vanina était bien heureuse. « S'il devait choisir absolument entre la patrie et moi, se disait-elle, j'aurais la préférence. »

L'horloge de l'église voisine sonna trois heures ; le moment des derniers adieux arrivait. Pietro s'arracha des bras de son amie. Il descendait déjà le petit escalier, lorsque Vanina, retenant ses larmes, lui dit en souriant :

« Si tu avais été soigné par une pauvre femme de la campagne, ne ferais-tu rien pour la reconnaissance [1] ? Ne chercherais-tu pas à la payer ? L'avenir est incertain, tu vas voyager au milieu de tes ennemis : donne-moi trois jours par reconnaissance, comme si j'étais une pauvre femme, et pour me payer de mes soins. »

Missirilli resta. Enfin il quitta Rome. Grâce à un passeport acheté d'une ambassade étrangère, il arriva dans sa famille. Ce fut une grande joie ; on le croyait mort. Ses amis voulurent célébrer sa bienvenue en tuant un carabinier ou deux (c'est le nom que portent les gendarmes dans les États du pape).

« Ne tuons pas sans nécessité un Italien qui sait le maniement des armes, dit Missirilli ; notre patrie n'est pas une île comme l'heureuse Angleterre : c'est de soldats que nous manquons pour résister à l'intervention des rois de l'Europe [2]. »

Quelque temps après, Missirilli, serré de près par les carabiniers, en tua deux avec les pistolets que Vanina lui avait donnés. On mit sa tête à prix.

---

1. ***Pour la reconnaissance*** : pour montrer ta reconnaissance.
2. ***Intervention des rois de l'Europe*** : jusqu'à l'unification de 1870, les différentes puissances européennes ne cessent d'intervenir en Italie, faisant obstacle aux tentatives d'unification républicaine.

Vanina ne paraissait pas en Romagne : Missirilli se crut oublié. Sa vanité fut choquée ; il commençait à songer beaucoup à la différence de rang qui le séparait de sa maîtresse. Dans un moment d'attendrissement et de regret du bonheur passé, il eut l'idée de retourner à Rome voir ce que faisait Vanina. Cette folle pensée allait l'emporter sur ce qu'il croyait être son devoir, lorsqu'un soir la cloche d'une église de la montagne sonna l'*Angélus* [1] d'une façon singulière, et comme si le sonneur avait une distraction. C'était un signal de réunion pour la *vente* de carbonari à laquelle Missirilli s'était affilié en arrivant en Romagne. La même nuit, tous se trouvèrent à un certain ermitage dans les bois. Les deux ermites, assoupis par l'opium, ne s'aperçurent nullement de l'usage auquel servait leur petite maison. Missirilli, qui arrivait fort triste, apprit là que le chef de la *vente* avait été arrêté, et que lui, jeune homme à peine âgé de vingt ans, allait être élu chef d'une *vente* qui comptait des hommes de plus de cinquante ans, et qui étaient dans les conspirations depuis l'expédition de Murat en 1815 [2]. En recevant cet honneur inespéré, Pietro sentit battre son cœur. Dès qu'il fut seul, il résolut de ne plus songer à la jeune Romaine qui l'avait oublié, et de consacrer toutes ses pensées au devoir de *délivrer l'Italie des barbares* [3].

Deux jours après, Missirilli vit dans le rapport des arrivées et des départs qu'on lui adressait, comme chef de *vente*, que la princesse Vanina venait d'arriver à son château de San Nicolò. La lecture de ce nom jeta plus de trouble que de plaisir dans son âme. Ce fut en vain qu'il crut assurer sa fidélité à la patrie en prenant sur lui de ne pas voler le soir même au château de

---

1. ***Angélus*** : sonnerie de cloche faite aux moments où l'on récite l'Angélus, le matin, à midi et le soir.

2. ***L'expédition de Murat en 1815*** : Murat, roi de Naples en 1808, abandonna Napoléon en 1814, fut pris et fusillé tandis qu'il tentait de reconquérir son royaume en 1815.

3. ***Liberar l'Italia de' barbari*** : c'est le mot de Pétrarque en 1350, répété depuis par Jules II, par Machiavel, par le comte Alfieri. [*Note de Stendhal*]

San Nicolò ; l'idée de Vanina, qu'il négligeait, l'empêcha de remplir ses devoirs d'une façon raisonnable. Il la vit le lendemain ; elle l'aimait comme à Rome. Son père, qui voulait la marier, avait retardé son départ. Elle apportait deux mille sequins [1]. Ce secours imprévu servit merveilleusement à accréditer [2] Missirilli dans sa nouvelle dignité. On fit fabriquer des poignards à Corfou [3] ; on gagna le secrétaire intime du légat [4], chargé de poursuivre les carbonari. On obtint ainsi la liste des curés qui servaient d'espions au gouvernement.

C'est à cette époque que finit de s'organiser l'une des moins folles conspirations qui aient été tentées dans la malheureuse Italie. Je n'entrerai point ici dans des détails déplacés. Je me contenterai de dire que si le succès eût couronné l'entreprise, Missirilli eût pu réclamer une bonne part de la gloire. Par lui, plusieurs milliers d'insurgés se seraient levés à un signal donné, et auraient attendu en armes l'arrivée des chefs supérieurs. Le moment décisif approchait, lorsque, comme cela arrive toujours, la conspiration fut paralysée par l'arrestation des chefs.

À peine arrivée en Romagne, Vanina crut voir que l'amour de la patrie ferait oublier à son amant tout autre amour. La fierté de la jeune Romaine s'irrita. Elle essaya en vain de se raisonner ; un noir chagrin s'empara d'elle : elle se surprit à maudire la liberté. Un jour qu'elle était venue à Forli pour voir Missirilli, elle ne fut pas maîtresse de sa douleur, que toujours jusque-là son orgueil avait su maîtriser.

« En vérité, lui dit-elle, vous m'aimez comme un mari ; ce n'est pas mon compte. »

Bientôt ses larmes coulèrent ; mais c'était de honte de s'être abaissée jusqu'aux reproches. Missirilli répondit à ces larmes en homme préoccupé. Tout à coup Vanina eut l'idée de le quitter et de

---

1. ***Sequins*** : ancienne monnaie d'or.
2. ***Accréditer*** : donner de l'autorité à.
3. ***Corfou*** : île située au nord-ouest de la Grèce et réputée pour ses poignards.
4. ***Légat*** : représentant du pape dans les États pontificaux.

retourner à Rome. Elle trouva une joie cruelle à se punir de la faiblesse qui venait de la faire parler. Au bout de peu d'instants de silence, son parti fut pris ; elle se fût trouvée indigne de Missirilli si elle ne l'eût pas quitté. Elle jouissait de sa surprise douloureuse quand il la chercherait en vain auprès de lui. Bientôt l'idée de n'avoir pu obtenir l'amour de l'homme pour qui elle avait fait tant de folies l'attendrit profondément. Alors elle rompit le silence, et fit tout au monde pour lui arracher une parole d'amour. Il lui dit d'un air distrait des choses fort tendres ; mais ce fut avec un accent bien autrement profond qu'en parlant de ses entreprises politiques, il s'écria avec douleur :

« Ah ! si cette affaire-ci ne réussit pas, si le gouvernement la découvre encore, je quitte la partie. »

Vanina resta immobile. Depuis une heure, elle sentait qu'elle voyait son amant pour la dernière fois. Le mot qu'il prononçait jeta une lumière fatale dans son esprit. Elle se dit : « Les carbonari ont reçu de moi plusieurs milliers de sequins. On ne peut douter de mon dévouement à la conspiration. »

Vanina ne sortit de sa rêverie que pour dire à Pietro :

« Voulez-vous venir passer vingt-quatre heures avec moi au château de San Nicolò ? Votre assemblée de ce soir n'a pas besoin de ta présence. Demain matin, à San Nicolò, nous pourrons nous promener ; cela calmera ton agitation et te rendra tout le sang-froid dont tu as besoin dans ces grandes circonstances. »

Pietro y consentit.

Vanina le quitta pour les préparatifs du voyage, en fermant à clef comme de coutume la petite chambre où elle l'avait caché.

Elle courut chez une de ses femmes de chambre qui l'avait quittée pour se marier et prendre un petit commerce à Forli. Arrivée chez cette femme, elle écrivit à la hâte à la marge d'un livre d'Heures[1] qu'elle trouva dans sa chambre, l'indication exacte du lieu où la *vente* des carbonari devait se réunir cette nuit-là même. Elle termina sa dénonciation par ces mots : « Cette *vente* est composée de dix-neuf

---

1. ***Livre d'Heures*** : livre de prières.

membres ; voici leurs noms et leurs adresses. » Après avoir écrit cette liste, très exacte à cela près que le nom de Missirilli était omis, elle dit à la femme, dont elle était sûre :

« Porte ce livre au cardinal-légat ; qu'il lise ce qui est écrit, et qu'il te rende le livre. Voici dix sequins ; si jamais le légat prononce ton nom, ta mort est certaine ; mais tu me sauves la vie si tu fais lire au légat la page que je viens d'écrire. »

Tout se passa à merveille. La peur du légat fit qu'il ne se conduisit point en grand seigneur. Il permit à la femme du peuple qui demandait à lui parler de ne paraître devant lui que masquée, mais à condition qu'elle aurait les mains liées. En cet état, la marchande fut introduite devant le grand personnage, qu'elle trouva retranché derrière une immense table, couverte d'un tapis vert.

Le légat lut la page du livre d'Heures, en le tenant fort loin de lui, de peur d'un poison subtil. Il le rendit à la marchande, et ne la fit point suivre. Moins de quarante minutes après avoir quitté son amant, Vanina, qui avait vu revenir son ancienne femme de chambre, reparut devant Missirilli, croyant que désormais il était tout à elle. Elle lui dit qu'il y avait un mouvement extraordinaire dans la ville ; on remarquait des patrouilles de carabiniers dans des rues où ils ne venaient jamais.

« Si tu veux m'en croire, ajouta-t-elle, nous partirons à l'instant même pour San Nicolò. »

Missirilli y consentit. Ils gagnèrent à pied la voiture de la jeune princesse, qui, avec sa dame de compagnie, confidente discrète et bien payée, l'attendait à une demi-lieue de la ville.

Arrivée au château de San Nicolò, Vanina, troublée par son étrange démarche, redoubla de tendresse pour son amant. Mais en lui parlant d'amour, il lui semblait qu'elle jouait la comédie. La veille, en trahissant, elle avait oublié le remords. En serrant son amant dans ses bras, elle se disait :

« Il y a un certain mot qu'on peut lui dire, et ce mot prononcé, à l'instant et pour toujours, il me prend en horreur. »

Au milieu de la nuit, un des domestiques de Vanina entra brusquement dans sa chambre. Cet homme était carbonaro sans qu'elle s'en doutât. Missirilli avait donc des secrets pour elle, même pour ces détails. Elle frémit. Cet homme venait avertir Missirilli que dans la nuit, à Forli, les maisons de dix-neuf carbonari avaient été cernées, et eux arrêtés au moment où ils revenaient de la *vente*. Quoique pris à l'improviste, neuf s'étaient échappés. Les carabiniers avaient pu en conduire dix dans la prison de la citadelle. En y entrant, l'un d'eux s'était jeté dans le puits, si profond, et s'était tué. Vanina perdit contenance ; heureusement Pietro ne le remarqua pas : il eût pu lire son crime dans ses yeux.

Dans ce moment, ajouta le domestique, la garnison de Forli forme une file dans toutes les rues. Chaque soldat est assez rapproché de son voisin pour lui parler. Les habitants ne peuvent traverser d'un côté de la rue à l'autre, que là où un officier est placé.

Après la sortie de cet homme, Pietro ne fut pensif qu'un instant :

« Il n'y a rien à faire pour le moment », dit-il enfin.

Vanina était mourante ; elle tremblait sous les regards de son amant.

« Qu'avez-vous donc d'extraordinaire ? » lui dit-il.

Puis il pensa à autre chose, et cessa de la regarder.

Vers le milieu de la journée, elle se hasarda à lui dire :

« Voilà encore une *vente* de découverte ; je pense que vous allez être tranquille pour quelque temps.

– *Très tranquille* », répondit Missirilli avec un sourire qui la fit frémir.

Elle alla faire une visite indispensable au curé du village de San Nicolò, peut-être espion des jésuites [1]. En rentrant pour dîner à sept heures, elle trouva déserte la petite chambre où son amant était caché. Hors d'elle-même, elle courut le chercher dans toute la maison ; il n'y était point. Désespérée, elle revint dans cette

---

1. ***Espion des jésuites*** : les jésuites défendaient alors vigoureusement les intérêts de la papauté, qui venait d'autoriser la reconstitution de l'ordre en 1814, après quarante et un ans de suspension.

petite chambre, ce fut alors seulement qu'elle vit un billet ; elle lut :

« Je vais me rendre prisonnier au légat ; je désespère de notre cause ; le ciel est contre nous. Qui nous a trahis ? Apparemment le misérable qui s'est jeté dans le puits. Puisque ma vie est inutile à la pauvre Italie, je ne veux pas que mes camarades, en voyant que, seul, je ne suis pas arrêté, puissent se figurer que je les ai vendus. Adieu ; si vous m'aimez, songez à me venger. Perdez, anéantissez l'infâme qui nous a trahis, fût-ce mon père. »

Vanina tomba sur une chaise, à demi évanouie et plongée dans le malheur le plus atroce. Elle ne pouvait proférer aucune parole ; ses yeux étaient secs et brûlants.

Enfin elle se précipita à genoux :

« Grand Dieu ! s'écria-t-elle, recevez mon vœu ; oui, je punirai l'infâme qui a trahi ; mais auparavant il faut rendre la liberté à Pietro. »

Une heure après, elle était en route pour Rome. Depuis longtemps son père la pressait de revenir. Pendant son absence, il avait arrangé son mariage avec le prince Livio Savelli. À peine Vanina fut-elle arrivée, qu'il lui en parla en tremblant. À son grand étonnement, elle consentit dès le premier mot. Le soir même, chez la comtesse Vitteleschi, son père lui présenta presque officiellement don Livio ; elle lui parla beaucoup. C'était le jeune homme le plus élégant et qui avait les plus beaux chevaux ; mais, quoiqu'on lui reconnût beaucoup d'esprit, son caractère passait pour tellement léger, qu'il n'était nullement suspect au gouvernement. Vanina pensa qu'en lui faisant d'abord tourner la tête, elle en ferait un agent commode. Comme il était neveu de monsignor Savelli-Catanzara, gouverneur de Rome et ministre de la Police, elle supposait que les espions n'oseraient le suivre.

Après avoir fort bien traité, pendant quelques jours, l'aimable don Livio, Vanina lui annonça que jamais il ne serait son époux ; il avait, suivant elle, la tête trop légère.

« Si vous n'étiez pas un enfant, lui dit-elle, les commis de votre oncle n'auraient pas de secrets pour vous. Par exemple, quel parti prend-on à l'égard des carbonari découverts dernièrement à Forli ? »

Don Livio vint lui dire, deux jours après, que tous les carbonari pris à Forli s'étaient évadés. Elle arrêta sur lui ses grands yeux noirs avec le sourire amer du plus profond mépris, et ne daigna pas lui parler de toute la soirée. Le surlendemain, don Livio vint lui avouer, en rougissant, que d'abord on l'avait trompé.

« Mais, lui dit-il, je me suis procuré une clef du cabinet de mon oncle ; j'ai vu par les papiers que j'y ai trouvés qu'une *congrégation* (ou commission), composée des cardinaux et des prélats [1] les plus en crédit [2], s'assemble dans le plus grand secret, et délibère sur la question de savoir s'il convient de juger ces carbonari à Ravenne ou à Rome. Les neuf carbonari pris à Forli, et leur chef, un nommé Missirilli, qui a eu la sottise de se rendre, sont en ce moment détenus au château de San Leo [3]. »

À ce mot de *sottise*, Vanina pinça le prince de toute sa force.

« Je veux moi-même, lui dit-elle, voir les papiers officiels et entrer avec vous dans le cabinet de votre oncle ; vous aurez mal lu. »

À ces mots, don Livio frémit ; Vanina lui demandait une chose presque impossible ; mais le génie bizarre de cette jeune fille redoublait son amour. Peu de jours après, Vanina, déguisée en homme et portant un joli petit habit à la livrée [4] de la casa [5] Savelli, put passer une demi-heure au milieu des papiers les plus secrets du ministre de la Police. Elle eut un mouvement de vif

---

1. ***Prélats*** : hommes d'Église, proches du pape.
2. ***Les plus en crédit*** : qui étaient les plus estimés et les plus influents auprès du pape.
3. Près de Rimini en Romagne. C'est dans ce château que périt le fameux Cagliostro ; on dit dans le pays qu'il y fut étouffé. [*Note de Stendhal*]
4. ***Livrée*** : tenue de valet.
5. ***Casa*** : maison (en italien).

bonheur, lorsqu'elle découvrit le rapport journalier du *prévenu*[1] *Pietro Missirilli*. Ses mains tremblaient en tenant ce papier. En relisant ce nom, elle fut sur le point de se trouver mal. Au sortir du palais du gouverneur de Rome, Vanina permit à don Livio de l'embrasser.

« Vous vous tirez bien, lui dit-elle, des épreuves auxquelles je veux vous soumettre. »

Après un tel mot, le jeune prince eût mis le feu au Vatican pour plaire à Vanina. Ce soir-là, il y avait bal chez l'ambassadeur de France ; elle dansa beaucoup et presque toujours avec lui. Don Livio était ivre de bonheur, il fallait l'empêcher de réfléchir.

« Mon père est quelquefois bizarre, lui dit un jour Vanina, il a chassé ce matin deux de ses gens qui sont venus pleurer chez moi. L'un m'a demandé d'être placé chez votre oncle le gouverneur de Rome ; l'autre, qui a été soldat d'artillerie sous les Français, voudrait être employé au château Saint-Ange.

– Je les prends tous les deux à mon service, dit vivement le jeune prince.

– Est-ce là ce que je vous demande ? répliqua fièrement Vanina. Je vous répète textuellement la prière de ces pauvres gens ; ils doivent obtenir ce qu'ils ont demandé, et pas autre chose. »

Rien de plus difficile. Monsignor Catanzara n'était rien moins qu'un homme léger[2], et n'admettait dans sa maison que des gens de lui bien connus. Au milieu d'une vie remplie, en apparence, par tous les plaisirs, Vanina, bourrelée de remords, était fort malheureuse. La lenteur des événements la tuait. L'homme d'affaires de son père lui avait procuré de l'argent. Devait-elle fuir la maison paternelle et aller en Romagne essayer de faire évader son amant ? Quelque déraisonnable que fût cette idée, elle était sur le point de la mettre à exécution, lorsque le hasard eut pitié d'elle.

---

1. ***Prévenu*** : inculpé.
2. ***Rien moins qu'un homme léger*** : tout sauf un homme léger.

Don Livio lui dit :

« Les dix carbonari de la *vente* Missirilli vont être transférés à Rome, sauf à être exécutés[1] en Romagne, après leur condamnation. Voilà ce que mon oncle vient d'obtenir du pape ce soir. Vous et moi sommes les seuls dans Rome qui sachions ce secret. Êtes-vous contente ?

– Vous devenez un homme, répondit Vanina ; faites-moi cadeau de votre portrait. »

La veille du jour où Missirilli devait arriver à Rome, Vanina prit un prétexte pour aller à Città-Castellana. C'est dans la prison de cette ville que l'on fait coucher les carbonari que l'on transfère de la Romagne à Rome. Elle vit Missirilli le matin, comme il sortait de la prison : il était enchaîné seul sur une charrette ; il lui parut fort pâle, mais nullement découragé. Une vieille femme lui jeta un bouquet de violettes, Missirilli sourit en la remerciant.

Vanina avait vu son amant, toutes ses pensées semblèrent renouvelées ; elle eut un nouveau courage. Dès longtemps[2] elle avait fait obtenir un bel avancement à M. l'abbé Cari, aumônier du château Saint-Ange, où son amant allait être enfermé ; elle avait pris ce bon prêtre pour confesseur. Ce n'est pas peu de chose à Rome que d'être confesseur d'une princesse, nièce du gouverneur.

Le procès des carbonari de Forli ne fut pas long. Pour se venger de leur arrivée à Rome, qu'il n'avait pu empêcher, le parti ultra[3] fit composer la commission qui devait les juger des prélats les plus ambitieux. Cette commission fut présidée par le ministre de la Police.

La loi contre les carbonari est claire : ceux de Forli ne pouvaient conserver aucun espoir ; ils n'en défendirent pas moins leur vie par tous les subterfuges[4] possibles. Non seulement leurs juges

---

1. ***Sauf à être exécutés*** : quitte à ce qu'on les exécute.
2. ***Dès longtemps*** : depuis longtemps.
3. ***Parti ultra*** : parti le plus extrémiste, le plus réactionnaire.
4. ***Subterfuges*** : moyens.

les condamnèrent à mort, mais plusieurs opinèrent[1] pour des supplices atroces, le poing coupé, etc. Le ministre de la Police dont la fortune était faite (car on ne quitte cette place que pour prendre le chapeau[2]), n'avait nul besoin de poing coupé : en portant la sentence[3] au pape, il fit commuer[4] en quelques années de prison la peine de tous les condamnés. Le seul Pietro Missirilli fut excepté. Le ministre voyait dans ce jeune homme un fanatique dangereux, et d'ailleurs il avait aussi été condamné à mort comme coupable de meurtre sur les deux carabiniers dont nous avons parlé. Vanina sut la sentence et la commutation peu d'instants après que le ministre fut revenu de chez le pape.

Le lendemain, monsignor Catanzara rentra dans son palais vers le minuit, il ne trouva point son valet de chambre ; le ministre, étonné, sonna plusieurs fois ; enfin parut un vieux domestique imbécile : le ministre, impatienté, prit le parti de se déshabiller lui-même. Il ferma sa porte à clef ; il faisait fort chaud : il prit son habit et le lança en paquet sur une chaise. Cet habit, jeté avec trop de force, passa par-dessus la chaise, alla frapper le rideau de mousseline de la fenêtre, et dessina la forme d'un homme. Le ministre se jeta rapidement vers son lit et saisit un pistolet. Comme il revenait près de la fenêtre, un fort jeune homme, couvert de sa livrée, s'approcha de lui le pistolet à la main. À cette vue, le ministre approcha le pistolet de son œil ; il allait tirer. Le jeune homme lui dit en riant :

« Eh quoi ! monseigneur, ne reconnaissez-vous pas Vanina Vanini ?

– Que signifie cette mauvaise plaisanterie ? répliqua le ministre en colère.

– Raisonnons froidement, dit la jeune fille. D'abord votre pistolet n'est pas chargé. »

---

1. ***Opinèrent pour*** : optèrent pour.
2. ***Prendre le chapeau*** : devenir cardinal.
3. ***Sentence*** : verdict.
4. ***Commuer*** : changer.

Le ministre, étonné, s'assura du fait; après quoi il tira un poignard de la poche de son gilet[1].

Vanina lui dit avec un petit air d'autorité charmant:

« Asseyons-nous, monseigneur. »

Et elle prit place tranquillement sur un canapé.

« Êtes-vous seule au moins ? dit le ministre.

– Absolument seule, je vous le jure ! » s'écria Vanina.

C'est ce que le ministre eut soin de vérifier: il fit le tour de la chambre et regarda partout; après quoi il s'assit sur une chaise à trois pas de Vanina.

« Quel intérêt aurais-je, dit Vanina d'un air doux et tranquille, d'attenter aux jours[2] d'un homme modéré, qui probablement serait remplacé par quelque homme faible à tête chaude, capable de se perdre soi et les autres ?

– Que voulez-vous donc, mademoiselle ? dit le ministre avec humeur. Cette scène ne me convient point et ne doit pas durer.

– Ce que je vais ajouter, reprit Vanina avec hauteur, et oubliant tout à coup son air gracieux, importe à vous plus qu'à moi. On veut que le carbonaro Missirilli ait la vie sauve: s'il est exécuté, vous ne lui survivrez pas d'une semaine. Je n'ai aucun intérêt à tout ceci; la folie dont vous vous plaignez, je l'ai faite pour m'amuser d'abord, et ensuite pour servir une de mes amies. J'ai voulu, continua Vanina, en reprenant son air de bonne compagnie, j'ai voulu rendre service à un homme d'esprit, qui bientôt sera mon oncle, et doit porter loin, suivant toute apparence, la fortune de sa maison. »

---

1. Un prélat romain serait hors d'état sans doute de commander un corps d'armée avec bravoure, comme il est arrivé plusieurs fois à un général de division qui était ministre de la Police à Paris, lors de l'entreprise de Mallet; mais jamais il ne se laisserait arrêter chez lui aussi simplement. Il aurait trop de peur des plaisanteries de ses collègues. Un Romain qui se sait haï ne marche que bien armé. On n'a pas cru nécessaire de justifier plusieurs autres petites différences entre les façons d'agir et de parler de Paris et celles de Rome. Loin d'amoindrir ces différences, on a cru devoir les écrire hardiment. Les Romains que l'on peint n'ont pas l'honneur d'être Français. [*Note de Stendhal*]

2. ***Attenter aux jours***: tuer.

Le ministre quitta l'air fâché : la beauté de Vanina contribua sans doute à ce changement rapide. On connaissait dans Rome le goût de monseigneur Catanzara pour les jolies femmes, et, dans son déguisement en valet de pied de la casa Savelli, avec des bas de soie bien tirés, une veste rouge, son petit habit bleu de ciel galonné d'argent, et le pistolet à la main, Vanina était ravissante.

« Ma future nièce, dit le ministre presque en riant, vous faites là une haute folie, et ce ne sera pas la dernière.

– J'espère qu'un personnage aussi sage, répondit Vanina, me gardera le secret, et surtout envers don Livio, et pour vous y engager, mon cher oncle, si vous m'accordez la vie du protégé de mon amie, je vous donnerai un baiser. »

Ce fut en continuant la conversation sur ce ton de demi-plaisanterie, avec lequel les dames romaines savent traiter les plus grandes affaires, que Vanina parvint à donner à cette entrevue, commencée le pistolet à la main, la couleur d'une visite faite par la jeune princesse Savelli à son oncle le gouverneur de Rome.

Bientôt monseigneur Catanzara, tout en rejetant avec hauteur l'idée de s'en laisser imposer par la crainte, en fut à raconter à sa nièce toutes les difficultés qu'il rencontrerait pour sauver la vie de Missirilli. En discutant, le ministre se promenait dans la chambre avec Vanina ; il prit une carafe de limonade qui était sur sa cheminée et en remplit un verre de cristal. Au moment où il allait le porter à ses lèvres, Vanina s'en empara, et, après l'avoir tenu quelque temps, le laissa tomber dans le jardin comme par distraction. Un instant après, le ministre prit une pastille de chocolat dans une bonbonnière, Vanina la lui enleva, et lui dit en riant :

« Prenez donc garde, tout chez vous est empoisonné ; car on voulait votre mort. C'est moi qui ai obtenu la grâce de mon oncle futur, afin de ne pas entrer dans la famille Savelli absolument les mains vides. »

Monseigneur Catanzara, fort étonné, remercia sa nièce, et donna de grandes espérances pour la vie de Missirilli.

« Notre marché est fait ! s'écria Vanina, et la preuve, c'est qu'en voici la récompense », dit-elle en l'embrassant.

Le ministre prit la récompense.

« Il faut que vous sachiez, ma chère Vanina, ajouta-t-il, que je n'aime pas le sang, moi. D'ailleurs, je suis jeune encore, quoique peut-être je vous paraisse bien vieux, et je puis vivre à une époque où le sang versé aujourd'hui fera tache[1]. »

Deux heures sonnaient quand monseigneur Catanzara accompagna Vanina jusqu'à la petite porte de son jardin.

Le surlendemain, lorsque le ministre parut devant le pape, assez embarrassé de la démarche qu'il avait à faire, Sa Sainteté lui dit :

« Avant tout, j'ai une grâce à vous demander. Il y a un de ces carbonari de Forli qui est resté condamné à mort ; cette idée m'empêche de dormir : il faut sauver cet homme. »

Le ministre, voyant que le pape avait pris son parti, fit beaucoup d'objections, et finit par écrire un décret ou *motu proprio*, que le pape signa, contre l'usage.

Vanina avait pensé que peut-être elle obtiendrait la grâce de son amant, mais qu'on tenterait de l'empoisonner. Dès la veille, Missirilli avait reçu de l'abbé Cari, son confesseur, quelques petits paquets de biscuits de mer, avec l'avis de ne pas toucher aux aliments fournis par l'État.

Vanina ayant su après que les carbonari de Forli allaient être transférés au château de San Leo, voulut essayer de voir Missirilli à son passage à Città-Castellana ; elle arriva dans cette ville vingt-quatre heures avant les prisonniers ; elle y trouva l'abbé Cari, qui l'avait précédée de plusieurs jours. Il avait obtenu du geôlier que Missirilli pourrait entendre la messe, à minuit, dans la chapelle de la prison. On alla plus loin : si Missirilli voulait consentir à se laisser lier les bras et les jambes par une chaîne, le geôlier se retirerait vers la porte de la chapelle, de manière à voir toujours le

1. ***Fera tache*** : laissera des traces fâcheuses, fera plus tard du tort au ministre.

prisonnier, dont il était responsable, mais à ne pouvoir entendre ce qu'il dirait.

Le jour qui devait décider du sort de Vanina parut enfin. Dès le matin, elle s'enferma dans la chapelle de la prison. Qui pourrait dire les pensées qui l'agitèrent durant cette longue journée ? Missirilli l'aimait-il assez pour lui pardonner ? Elle avait dénoncé sa *vente*, mais elle lui avait sauvé la vie. Quand la raison prenait le dessus dans cette âme bourrelée, Vanina espérait qu'il voudrait consentir à quitter l'Italie avec elle : si elle avait péché, c'était par excès d'amour. Comme quatre heures sonnaient, elle entendit de loin, sur le pavé, le pas des chevaux des carabiniers. Le bruit de chacun de ces pas semblait retentir dans son cœur. Bientôt elle distingua le roulement des charrettes qui transportaient les prisonniers. Elles s'arrêtèrent sur la petite place devant la prison ; elle vit deux carabiniers soulever Missirilli, qui était seul sur une charrette, et tellement chargé de fers qu'il ne pouvait se mouvoir. « Du moins il vit, se dit-elle les larmes aux yeux, ils ne l'ont pas encore empoisonné ! » La soirée fut cruelle ; la lampe de l'autel, placée à une grande hauteur, et pour laquelle le geôlier épargnait l'huile, éclairait seule cette chapelle sombre. Les yeux de Vanina erraient sur les tombeaux de quelques grands seigneurs du Moyen Âge morts dans la prison voisine. Leurs statues avaient l'air féroce.

Tous les bruits avaient cessé depuis longtemps ; Vanina était absorbée dans ses noires pensées. Un peu après que minuit eut sonné, elle crut entendre un bruit léger comme le vol d'une chauve-souris. Elle voulut marcher, et tomba à demi évanouie sur la balustrade de l'autel. Au même instant, deux fantômes se trouvèrent tout près d'elle, sans qu'elle les eût entendus venir. C'étaient le geôlier et Missirilli chargé de chaînes, au point qu'il en était comme emmailloté. Le geôlier ouvrit une lanterne, qu'il posa sur la balustrade de l'autel, à côté de Vanina, de façon à ce qu'il pût bien voir son prisonnier. Ensuite il se retira dans le fond, près de la porte. À peine le geôlier se fut-il éloigné que

Vanina se précipita au cou de Missirilli. En le serrant dans ses bras, elle ne sentit que ses chaînes froides et pointues. « Qui les lui a données, ces chaînes ? » pensa-t-elle. Elle n'eut aucun plaisir à embrasser son amant. À cette douleur en succéda une autre plus poignante ; elle crut un instant que Missirilli savait son crime, tant son accueil fut glacé.

« Chère amie, lui dit-il enfin, je regrette l'amour que vous avez pris pour moi ; c'est en vain que je cherche le mérite qui a pu vous l'inspirer. Revenons, croyez-m'en, à des sentiments plus chrétiens, oublions les illusions qui jadis nous ont égarés ; je ne puis vous appartenir. Le malheur constant qui a suivi mes entreprises vient peut-être de l'état de péché mortel où je me suis constamment trouvé. Même à n'écouter que les conseils de la prudence humaine, pourquoi n'ai-je pas été arrêté avec mes amis, lors de la fatale nuit de Forli ? Pourquoi, à l'instant du danger, ne me trouvais-je pas à mon poste ? Pourquoi mon absence a-t-elle pu autoriser les soupçons les plus cruels ? J'avais une autre passion que celle de la liberté de l'Italie. »

Vanina ne revenait pas de la surprise que lui causait le changement de Missirilli. Sans être sensiblement maigri, il avait l'air d'avoir trente ans. Vanina attribua ce changement aux mauvais traitements qu'il avait soufferts en prison, elle fondit en larmes.

« Ah ! lui dit-elle, les geôliers avaient tant promis qu'ils te traiteraient avec bonté. »

Le fait est qu'à l'approche de la mort, tous les principes religieux qui pouvaient s'accorder avec la passion pour la liberté de l'Italie avaient reparu dans le cœur du jeune carbonaro. Peu à peu Vanina s'aperçut que le changement étonnant qu'elle remarquait chez son amant était tout moral, et nullement l'effet de mauvais traitements physiques. Sa douleur, qu'elle croyait au comble, en fut encore augmentée.

Missirilli se taisait ; Vanina semblait sur le point d'être étouffée par ses sanglots. Il ajouta d'un air un peu ému lui-même :

« Si j'aimais quelque chose sur la terre, ce serait vous, Vanina ;

mais grâce à Dieu, je n'ai plus qu'un seul but dans ma vie : je mourrai en prison, ou en cherchant à donner la liberté à l'Italie. »

Il y eut encore un silence ; évidemment Vanina ne pouvait parler : elle l'essayait en vain. Missirilli ajouta :

« Le devoir est cruel, mon amie ; mais s'il n'y avait pas un peu de peine à l'accomplir, où serait l'héroïsme ? Donnez-moi votre parole que vous ne chercherez plus à me voir. »

Autant que sa chaîne assez serrée le lui permettait, il fit un petit mouvement du poignet, et tendit les doigts à Vanina.

« Si vous permettez un conseil à un homme qui vous fut cher, mariez-vous sagement à l'homme de mérite que votre père vous destine. Ne lui faites aucune confidence fâcheuse ; mais, d'un autre côté, ne cherchez jamais à me revoir ; soyons désormais étrangers l'un à l'autre. Vous avez avancé une somme considérable pour le service de la patrie ; si jamais elle est délivrée de ses tyrans, cette somme vous sera fidèlement payée en biens nationaux [1]. »

Vanina était atterrée. En lui parlant, l'œil de Pietro n'avait brillé qu'au moment où il avait nommé la *patrie*.

Enfin l'orgueil vint au secours de la jeune princesse ; elle s'était munie de diamants et de petites limes. Sans répondre à Missirilli, elle les lui offrit.

« J'accepte par devoir, lui dit-il, car je dois chercher à m'échapper ; mais je ne vous verrai jamais, je le jure en présence de vos nouveaux bienfaits. Adieu, Vanina ; promettez-moi de ne jamais m'écrire, de ne jamais chercher à me voir ; laissez-moi tout à la patrie, je suis mort pour vous : adieu.

– Non, reprit Vanina furieuse, je veux que tu saches ce que j'ai fait, guidée par l'amour que j'avais pour toi. »

Alors elle lui raconta toutes ses démarches depuis le moment où Missirilli avait quitté le château de San Nicolò, pour aller se rendre au légat. Quand ce récit fut terminé :

---

1. ***Biens nationaux*** : biens confisqués sur le clergé, la noblesse et le roi au moment d'une révolution.

« Tout cela n'est rien, dit Vanina : j'ai fait plus, par amour pour toi. »

Alors elle lui dit sa trahison.

« Ah ! monstre », s'écria Pietro furieux, en se jetant sur elle, et il cherchait à l'assommer avec ses chaînes.

Il y serait parvenu sans le geôlier qui accourut aux premiers cris. Il saisit Missirilli.

« Tiens, monstre, je ne veux rien te devoir », dit Missirilli à Vanina, en lui jetant, autant que ses chaînes le lui permettaient, les limes et les diamants, et il s'éloigna rapidement.

Vanina resta anéantie. Elle revint à Rome ; et le journal annonce qu'elle vient d'épouser le prince don Livio Savelli.

Le Coffre et le Revenant

Aventure espagnole

■ Carte de l'Espagne.

Par une belle matinée du mois de mai 182*, don Blas Bustos y Mosquera, suivi de douze cavaliers, entrait dans le village d'Alcolote, à une lieue de Grenade. À son approche, les paysans rentraient précipitamment dans leurs maisons et fermaient leurs portes. Les femmes regardaient avec terreur par un petit coin de leurs fenêtres ce terrible directeur de la police de Grenade. Le ciel a puni sa cruauté en mettant sur sa figure l'empreinte de son âme. C'est un homme de six pieds de haut, noir, et d'une effrayante maigreur ; il n'est que directeur de la police, mais l'évêque de Grenade lui-même et le gouverneur tremblent devant lui.

Durant cette guerre sublime contre Napoléon [1], qui, aux yeux de la postérité, placera les Espagnols du dix-neuvième siècle avant tous les autres peuples de l'Europe, et leur donnera le second rang après les Français, don Blas fut l'un des plus fameux chefs de guérillas [2]. Quand sa troupe n'avait pas tué au moins un Français dans la journée, il ne couchait pas dans un lit : c'était un vœu.

Au retour de Ferdinand [3], on l'envoya aux galères de Ceuta [4], où il a passé huit années dans la plus horrible misère. On l'accusait d'avoir été capucin [5] dans sa jeunesse, et d'avoir jeté le froc aux orties. Ensuite il rentra en grâce, on ne sait comment. Don Blas est célèbre maintenant par son silence ; jamais il ne

---

1. ***Guerre sublime contre Napoléon*** : la campagne napoléonienne en Espagne (1807-1813) se heurta à une opposition très violente et courageuse.
2. ***Guérilla*** : guerre organisée par les partisans, opposants à l'ennemi (ici, français).
3. ***Au retour de Ferdinand*** : après l'échec de la campagne française, Napoléon rendit son trône au roi Ferdinand VII.
4. ***Ceuta*** : ville du nord du Maroc (voir carte ci-contre).
5. ***Capucin*** : religieux de l'un des ordres franciscains.

parle. Autrefois les sarcasmes qu'il adressait à ses prisonniers de guerre avant de les faire pendre lui avaient acquis une sorte de réputation d'esprit : on répétait ses plaisanteries dans toutes les armées espagnoles.

Don Blas s'avançait lentement dans la rue d'Alcolote, regardant de côté et d'autre les maisons avec ses yeux de lynx. Comme il passait devant l'église on sonna une messe ; il se précipita de cheval plutôt qu'il n'en descendit, et on le vit s'agenouiller auprès de l'autel. Quatre de ses gendarmes se mirent à genoux autour de sa chaise ; ils le regardèrent, il n'y avait déjà plus de dévotion dans ses yeux. Son œil sinistre était fixé sur un jeune homme d'une tournure fort distinguée qui priait dévotement à quelques pas de lui. « Quoi ! se disait don Blas, un homme qui, suivant les apparences, appartient aux premières classes de la société n'est pas connu de moi ! Il n'a pas paru à Grenade depuis que j'y suis ! Il se cache. »

Don Blas se pencha vers un de ses gendarmes, et donna l'ordre d'arrêter le jeune homme dès qu'il serait hors de l'église. Aux derniers mots de la messe, il se hâta de sortir lui-même, et alla s'établir dans la grande salle de l'auberge d'Alcolote. Bientôt parut le jeune homme étonné.

« Votre nom ?

– Don Fernando de la Cueva. »

L'humeur sinistre de don Blas fut augmentée, parce qu'il remarqua, en le voyant de près, que don Fernando avait la plus jolie figure ; il était blond, et, malgré la mauvaise passe où il se trouvait, l'expression de ses traits était fort douce. Don Blas regardait le jeune homme en rêvant.

« Quel emploi aviez-vous sous les Cortès [1] ? dit-il enfin.

– J'étais au collège de Séville en 1823 ; j'avais alors quinze ans, car je n'en ai que dix-neuf aujourd'hui.

---

1. ***Sous les Cortès*** : « Cortès » est le nom donné en Espagne aux assemblées législatives. Don Blas évoque plus particulièrement ici une tentative républicaine récente qui fut sévèrement réprimée.

– Comment vivez-vous ? »

Le jeune homme parut irrité de la grossièreté de la question ; il se résigna et dit :

« Mon père, brigadier des armées de don Carlos Cuarto [1] (que Dieu bénisse la mémoire de ce bon roi !), m'a laissé un petit domaine près de ce village ; il me rapporte douze mille réaux [2] (trois mille francs) ; je le cultive de mes propres mains avec trois domestiques.

– Qui vous sont fort dévoués sans doute. Excellent noyau de guérilla », dit don Blas avec un sourire amer.

« En prison et au secret ! » ajouta-t-il en s'en allant, et laissant le prisonnier au milieu de ses gens.

Quelques moments après, don Blas déjeunait.

« Six mois de prison, pensait-il, me feront justice de ces belles couleurs et de cet air de fraîcheur et de contentement insolent. »

Le cavalier en sentinelle à la porte de la salle à manger haussa vivement sa carabine. Il l'appuyait par travers [3] contre la poitrine d'un vieillard qui cherchait à entrer dans la salle à la suite d'un aide de cuisine apportant un plat. Don Blas courut à la porte ; derrière le vieillard, il vit une jeune fille qui lui fit oublier don Fernando.

« Il est cruel qu'on ne me donne pas le temps de prendre mes repas, dit-il au vieillard ; entrez cependant, expliquez-vous. »

Don Blas ne pouvait se lasser de regarder la jeune fille ; il trouvait sur son front et dans ses yeux cette expression d'innocence et de piété céleste qui brille dans les belles madones de l'école italienne. Don Blas n'écoutait pas le vieillard et ne continuait pas son déjeuner. Enfin il sortit de sa rêverie ; le vieillard répétait pour la troisième ou quatrième fois les raisons qui devaient faire rendre la liberté à don Fernando de la Cueva, qui était depuis longtemps le fiancé de sa fille Inès ici présente, et

1. ***Don Carlos Cuarto*** (Carlos IV) : roi d'Espagne en 1788, il abdiqua en 1808 en faveur de Napoléon Ier, qui donna la couronne à son frère Joseph Bonaparte.

2. ***Réaux*** : le réal est une monnaie espagnole en argent.

3. ***Par travers*** : en travers.

allait l'épouser le dimanche suivant. À ce mot, les yeux du terrible directeur de police brillèrent d'un éclat si extraordinaire, qu'ils firent peur à Inès et même à son père.

« Nous avons toujours vécu dans la crainte de Dieu et sommes de vieux chrétiens, continua celui-ci ; ma race est antique, mais je suis pauvre, et don Fernando est un bon parti pour ma fille. Jamais je n'exerçai de place [1] du temps des Français, ni avant, ni depuis. »

Don Blas ne sortait point de son silence farouche.

« J'appartiens à la plus ancienne noblesse du royaume de Grenade, reprit le vieillard ; et, avant la révolution, ajouta-t-il en soupirant, j'aurais coupé les oreilles à un moine insolent qui ne m'eût pas répondu quand je lui parle. »

Les yeux du vieillard se remplirent de larmes. La timide Inès tira de son sein un petit chapelet qui avait touché la robe de la madone *del pilar* [2] et ses jolies mains en serraient la croix avec un mouvement convulsif. Les yeux du terrible don Blas s'attachèrent sur ces mains. Il remarquait ensuite la taille bien prise, quoique un peu forte de la jeune Inès. « Ses traits pourraient être plus réguliers, pensa-t-il ; mais cette grâce céleste, je ne l'ai jamais vue qu'à elle. »

« Et vous vous appelez don Jaime Arregui ? dit-il enfin au vieillard.

– C'est mon nom, répondit don Jaime en assurant sa position.

– Âgé de soixante et dix ans ?

– De soixante-neuf seulement.

– C'est vous, dit don Blas en se déridant visiblement ; je vous cherche depuis longtemps. Le roi notre Seigneur a daigné vous accorder une pension annuelle de quatre mille réaux (mille francs).

---

1. ***Place*** : emploi, fonction.
2. ***La madone del pilar*** : petite image de la Vierge, vénérée des Espagnols, qui se trouve à la basilique Notre-Dame du Pilier à Saragosse. Elle commémore l'apparition de la Vierge qui eut lieu le 2 janvier de l'an 40, placée sur un pilier (*pilar* en espagnol) de marbre, exactement à l'endroit où saint Jacques l'aurait, dit-on, posée, il y a près de vingt siècles.

J'ai chez moi, à Grenade, deux années échues de ce royal bienfait, que je vous remettrai demain à midi. Je vous ferai voir que mon père était un riche laboureur de la vieille Castille, vieux chrétien comme vous, et que jamais je ne fus moine. Ainsi l'injure que vous m'avez adressée tombe à faux. »

Le vieux gentilhomme n'osa manquer au rendez-vous. Il était veuf, et n'avait chez lui que sa fille Inès. Avant de partir pour Grenade il la conduisit chez le curé du village, et fit ses dispositions comme si jamais il ne devait la revoir. Il trouva don Blas Bustos fort paré ; il portait un grand cordon par-dessus son habit. Don Jaime lui trouva l'air poli d'un vieux soldat qui veut faire le bon et sourit à tout propos et hors de propos.

S'il eût osé, don Jaime eût refusé les huit mille réaux que don Blas lui remit ; il ne put se défendre de dîner avec lui. Après le repas, le terrible directeur de police lui fit lire tous ses brevets, son extrait de baptême, et même un acte de notoriété, au moyen duquel il était sorti des galères, et qui prouvait que jamais il n'avait été moine.

Don Jaime craignait toujours quelque mauvaise plaisanterie.

« J'ai donc quarante-trois ans, lui dit enfin don Blas, une place honorable qui me vaut cinquante mille réaux. J'ai un revenu de mille onces sur la banque de Naples. Je vous demande en mariage votre fille doña Inès Arregui. »

Don Jaime pâlit. Il y eut un moment de silence. Don Blas reprit :

« Je ne vous cacherai pas que don Fernando de la Cueva se trouve compromis dans une fâcheuse affaire. Le ministre de la police le fait rechercher, il s'agit pour lui de la *garotte* (manière d'étrangler employée pour les nobles) ou tout au moins des galères. J'y ai été huit années, et je puis vous assurer que c'est un vilain séjour. (En disant ces mots il s'approcha de l'oreille du vieillard.) D'ici à quinze jours ou trois semaines, je recevrai probablement du ministre l'ordre de faire transférer don Fernando de la prison d'Alcolote à celle de Grenade. Cet ordre sera exécuté fort tard dans la soirée ; si don Fernando profite de la nuit pour s'échapper, je fermerai les yeux, par considération pour l'amitié dont vous l'honorez. Qu'il aille passer un an ou deux à Majorque, par exemple, personne ne lui dira plus haut que son nom. »

Le vieux gentilhomme ne répondit point, il était atterré, et eut beaucoup de peine à regagner son village. L'argent qu'il avait reçu lui faisait horreur. « Est-ce donc, se disait-il, le prix du sang de mon ami don Fernando, du fiancé de mon Inès ? »

En arrivant au presbytère, il se jeta dans les bras d'Inès : « Ma fille, s'écria-t-il, le moine veut t'épouser ! »

Bientôt Inès sécha ses larmes et demanda la permission d'aller consulter le curé, qui était dans l'église, à son confessionnal. Malgré l'insensibilité de son âge et de son état, le curé pleura. Le résultat de la consultation fut qu'il fallait se résoudre à épouser don Blas, ou dans la nuit prendre la fuite. Doña Inès et son père devaient essayer de gagner Gibraltar et s'embarquer pour l'Angleterre.

« Et de quoi y vivrons-nous ? dit Inès.

– Vous pourriez vendre votre maison et le jardin.

– Qui l'achètera ? dit la jeune fille fondant en larmes.

– J'ai des économies, dit le curé, qui peuvent monter à cinq mille réaux ; je vous les donne, ma fille, et de grand cœur, si vous ne croyez pas pouvoir faire votre salut en épousant don Blas Bustos. »

Quinze jours après, tous les sbires de Grenade, en grande tenue, entouraient l'église si sombre de Saint-Dominique. À peine si en plein midi on y voit à se conduire[1]. Mais, ce jour-là, personne autre que les invités n'osait y entrer.

À une chapelle latérale éclairée par des centaines de cierges, et dont la lumière traversait les ombres de l'église comme une voie de feu, on voyait de loin un homme à genoux sur les marches de

1. ***À peine si*** […] ***on y voit à se conduire*** : c'est à peine si on y voit assez pour s'orienter.

l'autel ; il était plus grand de toute la tête que ce qui l'entourait. Cette tête était penchée d'un air pieux, et ses bras maigres croisés sur sa poitrine. Il se releva bientôt, et montra un habit chargé de décorations. Il donnait la main à une jeune fille dont la démarche légère et jeune faisait un étrange contraste avec sa gravité. Des larmes brillaient dans les yeux de la jeune épouse ; l'expression de ses traits et la douceur angélique qu'ils conservaient malgré son chagrin frappèrent le peuple quand elle monta en carrosse à la porte de l'église.

Il faut avouer que, depuis son mariage, don Blas fut moins féroce ; les exécutions devinrent plus rares. Au lieu de faire fusiller les condamnés par derrière, ils furent simplement pendus. Il permit souvent aux condamnés d'embrasser leur famille avant d'aller à la mort. Un jour, il dit à sa femme, qu'il aimait avec fureur :

« Je suis jaloux de Sancha. »

C'était la sœur de lait [1] et l'amie d'Inès. Elle avait vécu chez don Jaime sous le nom de femme de chambre de sa fille, et c'est en cette qualité qu'elle l'avait suivie dans le palais qu'Inès était venue habiter à Grenade.

« Quand je m'éloigne de vous, Inès, poursuivit don Blas, vous restez à parler seule avec Sancha. Elle est gentille, elle vous fait rire ; moi, je ne suis qu'un vieux soldat chargé de fonctions sévères ; je me rends justice, je suis peu aimable. Cette Sancha, avec sa physionomie riante, doit me faire paraître à vos yeux plus vieux de moitié. Tenez, voilà la clef de ma caisse, donnez-lui tout l'argent que vous voudrez, tout celui qui est dans ma caisse si cela vous plaît, mais qu'elle parte, qu'elle s'en aille, que je ne la voie plus ! »

Le soir, en rentrant de son bureau, la première personne que vit don Blas fut Sancha, occupée de sa besogne comme à l'ordinaire. Son premier mouvement fut de fureur ; il s'approcha rapidement de Sancha, qui leva les yeux et le regarda ferme, avec ce

1. ***Sœur de lait*** : celle avec qui elle avait été en nourrice.

regard espagnol, mélange si singulier de crainte, de courage et de haine. Au bout d'un moment, don Blas sourit.

« Ma chère Sancha, lui dit-il, doña Inès vous a-t-elle dit que je vous donne dix mille réaux ?

– Je n'accepte de cadeaux que de ma maîtresse », répondit-elle, toujours les yeux attachés sur lui.

Don Bustos entra chez sa femme.

« La prison de *Torre-Vieja*[1], lui dit-elle, combien contient-elle de prisonniers en ce moment ?

– Trente-deux dans les cachots et deux cent soixante, je crois, dans les étages supérieurs.

– Donnez-leur la liberté, dit Inès, et je me sépare de la seule amie que j'aie au monde.

– Ce que vous m'ordonnez est hors de mon pouvoir », répondit don Blas.

Et de toute la soirée il n'ajouta pas un mot. Inès, travaillant près de la lampe, le voyait rougir et pâlir tour à tour ; elle quitta son ouvrage et se mit à dire son chapelet[2]. Le lendemain, même silence. La nuit d'après, un incendie éclata dans la prison de *Torre-Vieja*. Deux prisonniers périrent. Mais, malgré toute la surveillance du directeur de la police et de ses gendarmes, tous les autres parvinrent à s'échapper.

Inès ne dit pas un mot à don Blas, ni lui à elle. Le jour suivant, en rentrant chez lui, don Blas ne vit plus Sancha ; il se jeta dans les bras d'Inès.

Dix-huit mois avaient passé depuis l'incendie de *Torre-Vieja*, lorsqu'un voyageur couvert de poussière descendit de cheval devant la plus mauvaise auberge du bourg de la Zuia, situé dans les montagnes à une lieue au midi de Grenade, tandis que Alcolote est au nord.

Cette banlieue de Grenade forme comme une oasis enchantée au milieu des plaines brûlées de l'Andalousie. C'est le plus beau

1. ***Torre-Vieja*** : ancienne tour, en espagnol.
2. ***Dire son chapelet*** : réciter ses prières.

pays de l'Espagne. Mais le voyageur venait-il guidé par la seule curiosité ? À son costume, on l'eût pris pour un Catalan. Son passeport, délivré à Majorque, était, en effet, visé à Barcelone, où il avait débarqué. Le maître de cette mauvaise auberge était fort pauvre. En lui remettant son passeport, qui portait le nom de don Pablo Rodil, le voyageur catalan le regarda.

« Oui, seigneur voyageur, lui dit l'hôte, j'avertirai Votre Seigneurie dans le cas où la police de Grenade la ferait demander. »

Le voyageur dit qu'il voulait voir ce pays si beau ; il sortait une heure avant le lever du soleil et ne rentrait qu'à midi, par la plus grande chaleur, quand tout le monde est à dîner ou à faire la sieste.

Don Fernando allait passer des heures entières sur une colline couverte de jeunes lièges [1]. Il voyait, de là, l'ancien palais de l'inquisition [2] de Grenade, habité maintenant par don Blas et par Inès. Ses yeux ne pouvaient se détacher des murs noircis de ce palais, qui s'élevait comme un géant au milieu des maisons de la ville. En quittant Majorque, don Fernando s'était promis de ne pas entrer dans Grenade. Un jour il ne put résister à un transport qui le saisit ; il alla passer dans la rue étroite sur laquelle s'élevait la haute façade du palais de l'inquisition. Il entra dans la boutique d'un artisan, et trouva un prétexte pour s'y arrêter et pour parler. L'artisan lui montra les fenêtres de l'appartement de doña Inès. Ces fenêtres étaient à un second étage fort élevé.

Au moment de la sieste, don Fernando reprit le chemin de la Zuia, le cœur dévoré par toutes les fureurs de la jalousie. Il eût voulu poignarder Inès et se tuer ensuite. « Caractère faible et lâche, se répétait-il avec rage, elle est capable de l'aimer, si elle se figure que tel est son devoir ! » Au détour d'une rue, il rencontra Sancha.

« Ah ! mon amie ! s'écria-t-il sans faire semblant de lui parler. Je m'appelle don Pablo Rodil, je loge à l'auberge de l'*Ange*, à la Zuia.

---

1. ***Lièges*** : arbres (chêne-liège).
2. ***Inquisition*** : institution ecclésiastique chargée de poursuivre les hérétiques et de les juger ; elle joua longtemps en Espagne un rôle politique et religieux considérable ; elle disparut en 1820 seulement.

Demain, à l'angélus du soir, peux-tu te trouver auprès de la grande église ?

– J'y serai », dit Sancha sans le regarder.

Le lendemain à la nuit, don Fernando aperçut Sancha et marcha sans mot dire vers son auberge ; elle entra sans être vue. Fernando ferma la porte.

« Eh bien ? lui dit-il les larmes aux yeux.

– Je ne suis plus à son service, lui répondit Sancha. Voici dix-huit mois qu'elle m'a renvoyée sans sujet, sans explication. Ma foi, je crois qu'elle aime don Blas.

– Elle aime don Blas ! s'écria don Fernando en séchant ses larmes, cela me manquait.

– Quand elle me renvoya, reprit Sancha, je me jetai à ses pieds, la suppliant de m'apprendre la cause de ma disgrâce. Elle me répondit froidement : "Mon mari le veut." Pas un mot avec ! Vous l'avez vue fort pieuse ; maintenant, sa vie n'est qu'une prière continuelle. »

Pour faire sa cour au parti régnant [1], don Blas avait obtenu qu'une moitié du palais de l'inquisition, où il habitait, serait donnée à des religieuses clarisses [2]. Ces dames s'y étaient établies, et venaient d'achever leur église. Doña Inès y passait sa vie. Dès que don Blas sortait de la maison, on était sûr de la voir à genoux devant l'autel de l'Adoration perpétuelle.

« Elle aime don Blas ! reprit don Fernando.

– La veille de ma disgrâce, reprit Sancha, doña Inès me parlait…

– Est-elle gaie ? interrompit don Fernando.

– Non pas gaie, mais d'une humeur égale et douce, bien différente de ce que vous l'avez connue ; elle n'a plus ces moments de vivacité et de folie, comme disait le curé.

---

1. ***Pour faire sa cour au parti régnant*** : en Espagne, la monarchie était étroitement liée à l'Église. Pour plaire au roi, don Blas favorise donc les communautés religieuses.

2. ***Clarisses*** : religieuses de l'ordre de sainte Claire.

– L'infâme ! s'écria don Fernando, en se promenant à grands pas dans la chambre. Voilà comme elle tient ses serments ! voilà comme elle m'aimait ! Pas même de tristesse ! et moi…

– Ainsi que je le disais à Votre Seigneurie, reprit Sancha, la veille de ma disgrâce, doña Inès me parlait avec amitié, avec bonté, comme autrefois à Alcolote. Le lendemain, un : *mon mari le veut* fut tout ce qu'elle trouva à me dire, en me remettant un papier signé d'elle, qui m'assure une bonne pension de huit cents réaux.

– Eh ! donne-moi ce papier », dit don Fernando.

Il couvrit de baisers la signature d'Inès.

« Et parlait-elle de moi ?

– Jamais, répondit Sancha, et tellement jamais, que, devant moi, le vieux don Jaime lui a fait une fois le reproche d'avoir oublié un voisin aussi aimable. Elle pâlit, et ne répondit pas. Dès qu'elle eut reconduit son père jusqu'à la porte, elle courut s'enfermer dans la chapelle.

– Je suis un sot, voilà tout, s'écria don Fernando. Que je vais la haïr ! N'en parlons plus… Il est heureux pour moi d'être entré dans Grenade, mille fois plus heureux de t'avoir rencontrée… Et toi, que fais-tu ?

– Je suis établie marchande au petit village d'Albaracen, à une demi-lieue de Grenade. Je tiens, ajouta-t-elle en baissant la voix, de belles marchandises anglaises, que m'apportent les contrebandiers des Alpujarres [1]. J'ai dans mes malles pour plus de dix mille réaux de marchandises de prix. Je suis heureuse.

– J'entends, dit don Fernando ; tu as un amant parmi les braves des monts Alpujarres. Je ne te reverrai jamais. Tiens, porte cette montre en mémoire de moi. »

Sancha s'en allait ; il la retint.

« Si je me présentais devant elle ? dit-il.

– Elle vous fuirait, dût-elle se jeter par la fenêtre. Prenez garde, dit Sancha, en revenant près de don Fernando, quelque

1. ***Alpujarres*** : région montagneuse située entre Grenade et la mer (voir carte, p. 50).

déguisement que vous puissiez prendre, huit ou dix espions qui rôdent sans cesse autour de la maison vous arrêteraient. »

Fernando, honteux de sa faiblesse, n'ajouta pas un mot. Il venait de prendre la résolution de repartir le lendemain pour Majorque.

Huit jours après, il passa par hasard dans le village d'Albaracen. Les brigands venaient d'arrêter le capitaine-général O'Donnel, qu'ils avaient tenu une heure durant couché à plat ventre dans la boue. Don Fernando vit Sancha qui courait d'un air effaré.

« Je n'ai pas le temps de vous parler, lui dit-elle ; venez chez moi. »

La boutique de Sancha était fermée ; elle s'empressait de placer ses étoffes anglaises dans un grand coffre de chêne noir.

« Nous serons peut-être attaqués ici cette nuit, dit-elle à don Fernando. Le chef de ces brigands est ennemi personnel d'un contrebandier qui est mon ami. Cette boutique serait la première pillée. J'arrive de Grenade ; je viens d'obtenir de doña Inès, qui, après tout, est une bien bonne femme, la permission de déposer mes marchandises les plus précieuses dans sa chambre. Don Blas ne verra pas ce coffre, qui est plein de contrebande ; si par malheur il le voit, doña Inès trouvera une excuse. »

Elle se hâtait d'arranger ses tulles [1] et ses châles. Don Fernando la regardait faire : tout à coup il se précipite sur le coffre, jette dehors les tulles et les châles, et se met à leur place.

« Êtes-vous fou ? dit Sancha effrayée.

– Tiens, voici cinquante onces ; mais que le ciel m'anéantisse si je sors de ce coffre avant d'être dans le palais de l'inquisition à Grenade ! Je veux la voir. »

Quoi que Sancha pût dire dans sa frayeur, don Fernando ne l'écouta pas.

Comme elle parlait encore, entra Zanga, un portefaix [2], cousin de Sancha, qui devait porter le coffre à Grenade, sur son mulet. Au

1. ***Tulles*** : tissus légers.
2. ***Portefaix*** : porteur.

bruit qu'il avait fait en entrant, don Fernando s'était hâté de tirer sur lui le couvercle du coffre. À tout hasard, Sancha le ferma à clef. Il était plus imprudent de le laisser ouvert.

Vers les onze heures du matin, un jour du mois de juin, don Fernando fit son entrée dans Grenade, porté dans un coffre ; il était sur le point d'étouffer. On arriva au palais de l'inquisition. Au temps que Zanga employa à monter l'escalier, don Fernando espéra qu'on plaçait le coffre au second étage, et peut-être même dans la chambre d'Inès.

Quand on eut refermé les portes, et qu'il n'entendit plus aucun bruit, il essaya, à l'aide de son poignard, de faire céder le pêne [1] de la serrure du coffre. Il réussit. À son inexprimable joie, il était, en effet, dans la chambre d'Inès. Il aperçut des vêtements de femme ; il reconnut près du lit un crucifix qui jadis était dans sa petite chambre à Alcolote. Une fois, après une querelle violente, elle l'avait conduit dans sa chambre et sur ce crucifix lui avait juré un amour éternel.

La chaleur était extrême, et la chambre fort obscure. Les persiennes étaient fermées, ainsi que de grands rideaux de la plus légère mousseline des Indes, drapés fort bas. Le profond silence était à peine troublé par le bruit d'un petit jet d'eau qui, s'élevant à quelques pieds, dans un coin de la chambre, retombait dans sa coquille de marbre noir.

Le bruit si faible de ce petit jet d'eau faisait tressaillir don Fernando qui avait donné vingt preuves dans sa vie de la plus audacieuse bravoure. Il était loin de trouver dans la chambre d'Inès ce bonheur parfait qu'il avait rêvé si souvent à Majorque, en pensant aux moyens de s'y introduire. Exilé, malheureux, séparé des siens, un amour passionné, et rendu presque fou par la durée et l'uniformité du malheur, formait tout le caractère de don Fernando.

Dans ce moment, la crainte de déplaire à cette Inès qu'il connaissait si chaste et si timide, était le seul sentiment de

---

1. ***Pêne*** : partie de la serrure qu'on fait mouvoir avec la clef.

don Fernando. J'aurais honte de l'avouer, si je n'espérais que le lecteur a quelque connaissance du caractère singulier et passionné des gens du Midi, don Fernando fut sur le point de s'évanouir quand, peu après que deux heures eurent sonné à l'horloge du couvent, il entendit, au milieu du silence profond, des pas légers monter l'escalier de marbre.

Bientôt ils s'approchèrent de la porte. Il reconnut la démarche d'Inès ; et, n'osant affronter le premier moment d'indignation d'une personne si attachée à ses devoirs, il se cacha dans le coffre.

La chaleur était accablante, l'obscurité profonde. Inès se plaça sur son lit ; et bientôt à la tranquillité de sa respiration, don Fernando comprit qu'elle dormait. Alors seulement, il osa s'approcher du lit ; il vit cette Inès, qui depuis tant d'années était sa seule pensée. Seule, abandonnée à lui dans l'innocence de son sommeil, elle lui fit peur. Ce singulier sentiment fut augmenté quand il s'aperçut que, depuis deux ans qu'il ne l'avait vue, ses traits avaient pris une empreinte de dignité froide qu'il ne leur connaissait pas.

Peu à peu cependant le bonheur de la revoir pénétra dans son âme ; le demi-désordre d'une toilette d'été faisait un si charmant contraste avec cet air de dignité presque sévère !

Il comprit que la première idée d'Inès en le voyant serait de s'enfuir. Il alla fermer la porte et en prit la clef.

Enfin arriva cet instant qui allait décider de tout son avenir. Inès fit quelques mouvements, elle était sur le point de s'éveiller : il eut l'inspiration d'aller se mettre à genoux devant le crucifix qui à Alcolote était dans la chambre d'Inès. En ouvrant des yeux encore appesantis par le sommeil, Inès eut l'idée que Fernando venait de mourir au loin, et que son image qu'elle voyait devant le crucifix était une vision.

Elle resta immobile, droite devant son lit, et les mains jointes.

« Pauvre malheureux ! » dit-elle d'une voix tremblante et presque étouffée.

Don Fernando, toujours à genoux et à demi tourné pour la

regarder, lui montrait le crucifix ; mais, dans son trouble, il fit un mouvement. Inès, tout à fait réveillée, comprit la vérité, et s'enfuit à la porte, qu'elle trouva fermée.

« Quelle audace ! s'écria-t-elle. Sortez, don Fernando ! »

Elle s'enfuit dans le coin le plus éloigné de la chambre, vers le petit jet d'eau.

« N'approchez pas, n'approchez pas, répétait-elle d'une voix convulsive ; sortez ! »

Tout l'éclat de la plus pure vertu brillait dans ses yeux.

« Non, je ne sortirai pas avant que tu m'aies entendu. Depuis deux ans, je n'ai pu t'oublier ; nuit et jour, j'ai ton image devant les yeux. Ne m'as-tu pas juré devant cette croix qu'à jamais tu serais à moi ?

– Sortez ! lui répéta-t-elle avec fureur, ou je vais appeler, et vous et moi allons être égorgés. »

Elle courut à une sonnette, mais don Fernando y fut avant elle et la serra dans ses bras. Don Fernando était tremblant ; Inès s'en aperçut fort bien, et perdit toute la force qu'elle prenait dans sa colère.

Don Fernando ne se laissa plus dominer par les pensées d'amour et de volupté, et fut tout à son devoir.

Il était plus tremblant qu'Inès car il sentait qu'il venait d'agir envers elle comme un ennemi ; mais il ne trouva ni colère ni emportement.

« Tu veux donc la mort de mon âme immortelle ? lui dit Inès. Mais, au moins, crois une chose, c'est que je t'adore, et que je n'ai jamais aimé que toi. Il ne s'est pas écoulé une minute de l'abominable vie que je mène depuis mon mariage, pendant laquelle je n'aie songé à toi. C'était un péché exécrable : j'ai tout fait pour t'oublier, mais en vain. N'aie pas horreur de mon impiété, mon Fernando : le croiras-tu ? ce saint crucifix que tu vois là, à côté de mon lit, bien souvent ne me présente plus l'image de ce Sauveur qui doit nous juger ; il ne me rappelle que les serments que je t'ai faits en étendant la main vers lui dans ma petite chambre d'Alcolote.

Ah ! nous sommes damnés, irrémissiblement[1] damnés, Fernando ! s'écria-t-elle avec transport ; soyons du moins bien heureux pendant le peu de jours qui nous reste à vivre. »

Ce langage ôta toute crainte à don Fernando ; le bonheur commença pour lui.

« Quoi ! tu me pardonnes ? tu m'aimes encore ?... »

Les heures fuyaient rapidement, le jour baissait déjà ; Fernando lui raconta l'inspiration soudaine qui lui était venue le matin à la vue du coffre. Ils furent tirés de leur ravissement par un grand bruit qui se fit vers la porte de la chambre. C'était don Blas qui venait chercher sa femme pour la promenade du soir.

« Dis que tu t'es trouvée mal à cause de l'excessive chaleur, dit don Fernando à Inès. Je vais me renfermer dans le coffre. Voici la clef de ta porte ; fais semblant de ne pas pouvoir ouvrir, tourne-la à contre-sens, jusqu'à ce que tu aies entendu le bruit que fera la serrure du coffre en se refermant. »

Tout réussit à souhait ; don Blas crut à l'accident produit par l'extrême chaleur.

« Pauvre amie ! » s'écria-t-il en lui faisant des excuses de l'avoir réveillée si brusquement.

Il la prit dans ses bras et la reporta sur son lit ; il l'accablait des plus tendres caresses, lorsqu'il aperçut le coffre.

« Qu'est ceci ? » dit-il en fronçant le sourcil.

Tout son génie de directeur de police sembla se réveiller tout à coup.

« Ceci chez moi ! » répéta-t-il cinq ou six fois pendant que doña Inès lui racontait les craintes de Sancha et l'histoire du coffre.

« Donnez-moi la clef, dit-il d'un air dur.

– Je n'ai pas voulu la recevoir, répondit Inès ; un de vos domestiques pouvait trouver cette clef. Mon refus de la prendre a semblé faire beaucoup de plaisir à Sancha.

– À la bonne heure ! s'écria don Blas ; mais j'ai ici dans la

---

1. ***Irrémissiblement*** : sans pardon possible, irrémédiablement.

caisse de mes pistolets des moyens d'ouvrir toutes les serrures du monde. »

Il alla au chevet du lit, ouvrit une caisse remplie d'armes, et se rapprocha du coffre avec un paquet de crochets anglais. Inès ouvrit les persiennes d'une fenêtre, et se pencha sur l'appui de façon à pouvoir se jeter dans la rue au moment où don Blas aurait découvert Fernando. Mais l'excès de la haine que Fernando portait à don Blas lui avait rendu tout son sang-froid ; il eut l'idée de placer la pointe de son poignard derrière le pêne de la mauvaise serrure du coffre, et ce fut en vain que don Blas tordit ses crochets anglais.

« C'est singulier, dit don Blas en se relevant, ces crochets ne m'avaient jamais manqué. Ma chère Inès notre promenade sera retardée ; je ne serais pas heureux, même auprès de toi, avec l'idée de ce coffre, qui peut-être est rempli de papiers criminels. Qui me dit que, pendant mon absence, l'évêque mon ennemi ne fera pas une descente chez moi, à l'aide de quelque ordre surpris au roi [1] ? Je vais à mon bureau et reviens à l'instant avec un ouvrier qui réussira mieux que moi. »

Il sortit. Doña Inès quitta la fenêtre pour fermer la porte. Ce fut en vain que don Fernando la supplia de prendre la fuite avec lui.

« Tu ne connais pas la vigilance du terrible don Blas, lui dit-elle ; il peut en quelques minutes correspondre avec ses agents à plusieurs lieues de Grenade. Que ne puis-je, en effet, m'enfuir avec toi et aller vivre en Angleterre ! Imagine-toi que cette vaste maison est visitée chaque jour jusque dans ses moindres recoins. Je vais cependant essayer de te cacher ; si tu m'aimes, sois prudent, car je ne te survivrais pas. »

Leur entretien fut interrompu par un grand coup à la porte ; Fernando se plaça derrière la porte, son poignard à la main ; heureusement, ce n'était que Sancha ; on lui dit tout en deux mots.

« Mais, Madame, vous ne songez pas, en cachant don Fernando, que don Blas va trouver le coffre vide. Voyons, que pouvons-nous y

---

1. ***Ordre surpris au roi*** : obtenu du roi sans que celui-ci ait pu prendre conscience de ce qu'il faisait.

mettre en si peu de temps ? Mais j'oublie dans mon trouble une bonne nouvelle : toute la ville est en émoi, et don Blas fort occupé. Don Pedro Ramos, le député aux Cortès, injurié par un volontaire royaliste au café de la Grande-Place, vient de le tuer à coups de poignard. Je viens de rencontrer don Blas au milieu de ses sbires, à la Porte del Sol. Cachez don Fernando, je vais chercher partout Zanga, qui viendra enlever le coffre où don Fernando se remettra. Mais aurons-nous le temps nécessaire ? Transportez le coffre dans quelque autre pièce, afin d'avoir une première réponse à faire à don Blas, et qu'il ne vous poignarde pas de prime abord. Dites que c'est moi qui ai fait transporter le coffre et qui l'ai ouvert. Surtout ne nous faisons pas illusion : si don Blas revient avant moi, nous sommes tous morts ! »

Les conseils de Sancha ne touchèrent guère les amants ; ils transportèrent le coffre dans un passage obscur ; ils se firent l'histoire de leur vie depuis deux ans.

« Tu ne trouveras point de reproches chez ton amie, disait Inès à don Fernando ; je t'obéirai en tout : j'ai un pressentiment que notre vie ne sera pas longue. Tu n'as pas idée du peu de cas que don Blas fait de sa vie et de celle des autres ; il découvrira que je t'ai vu et me tuera... Que trouverai-je dans l'autre vie ? continua-t-elle après un moment de rêverie ; des châtiments éternels ! »

Puis elle se jeta au cou de Fernando.

« Je suis la plus heureuse des femmes, s'écria-t-elle. Si tu trouves quelque moyen pour nous revoir, fais-le-moi dire par Sancha ; tu as une esclave qui s'appelle Inès. »

Zanga ne revint qu'à la nuit ; il emporta le coffre, dans lequel Fernando s'était replacé : plusieurs fois, il fut interrogé par les patrouilles de sbires qui cherchaient partout le député libéral sans le trouver : on laissa toujours passer Zanga sur la réponse que le coffre qu'il portait appartenait à don Blas.

Zanga fut arrêté pour la dernière fois dans une rue solitaire qui longe le cimetière : elle est séparée du cimetière, qui est à douze ou quinze pieds plus bas, par un mur à hauteur d'appui, contre lequel

Zanga eut l'idée de se reposer. Pendant qu'il répondait aux sbires, le coffre portait sur le mur.

Zanga, que l'on avait chargé rapidement par crainte du retour de don Blas, avait pris le coffre de façon que don Fernando se trouvait avoir la tête en bas ; la douleur qu'éprouvait Fernando dans cette position devint insupportable ; il espérait arriver bientôt : quand il sentit le coffre immobile, il perdit patience ; un grand silence régnait dans la rue ; il calcula qu'il devait être au moins neuf heures du soir. « Quelques ducats, pensa-t-il, m'assureront la discrétion de Zanga. »

Vaincu par la douleur, il lui dit très bas :

« Tourne le coffre dans un autre sens, je souffre horriblement ainsi. »

Le portefaix, qui, à cette heure indue, ne se trouvait pas sans inquiétude contre le mur du cimetière, fut effrayé de cette voix si rapprochée de son oreille ; il crut entendre un revenant et s'enfuit à toutes jambes. Le coffre resta debout sur le parapet ; la douleur de don Fernando augmentait. Ne recevant point de réponse de Zanga, il comprit qu'on l'avait abandonné. Quel que pût être le danger, il résolut d'ouvrir le coffre ; il fit un mouvement violent qui le précipita dans le cimetière.

Étourdi de sa chute, don Fernando ne reprit connaissance qu'au bout de quelques instants ; il voyait les étoiles briller au-dessus de sa tête : la serrure du coffre avait cédé dans la chute, et il se trouva renversé sur la terre nouvellement remuée d'une tombe. Il songea au danger que pouvait courir Inès, cette pensée lui rendit toute sa force.

Son sang coulait, il était fort meurtri ; il parvint cependant à se lever, et bientôt après à marcher ; il eut quelque peine à escalader le mur du cimetière, et ensuite à gagner le logement de Sancha. En le voyant couvert de sang, Sancha crut qu'il avait été découvert par don Blas.

« Il faut avouer, lui dit-elle en riant, quand elle fut désabusée, que vous nous avez mis là dans de beaux draps ! »

Ils convinrent qu'il fallait à tout prix profiter de la nuit pour enlever le coffre tombé dans le cimetière.

« C'est fait de la vie de doña Inès et de la mienne, dit Sancha, si demain quelque espion de don Blas découvre ce maudit coffre.

– Sans doute il est taché de sang », reprit don Fernando.

Zanga était le seul homme qu'on pût employer.

Comme on parlait de lui, il frappa à la porte de Sancha, qui ne l'étonna pas peu en lui disant :

« Je sais tout ce que tu viens me conter. Tu as abandonné mon coffre ; il est tombé dans le cimetière avec toutes mes marchandises de contrebande ; quelle perte pour moi ! Voici maintenant ce qui va arriver : don Blas va t'interroger ce soir ou demain matin.

– Ah ! je suis perdu ! s'écria Zanga.

– Tu es sauvé si tu réponds qu'en sortant du palais de l'inquisition, tu as rapporté le coffre chez moi. »

Zanga était tout fâché d'avoir compromis les marchandises de sa cousine ; mais il avait eu peur du revenant ; il avait peur de don Blas, il semblait hors d'état de comprendre les choses les plus simples. Sancha lui répétait longuement ses instructions sur la manière dont il devait répondre au directeur de la police pour ne compromettre personne.

« Voilà dix ducats pour toi, dit don Fernando, qui parut tout à coup ; mais, si tu ne dis pas exactement ce que t'a expliqué Sancha, tu ne mourras que par ce poignard.

– Et qui êtes-vous, seigneur ? dit Zanga.

– Un malheureux *negro* [1] poursuivi par les volontaires royalistes. »

Zanga était tout interdit ; sa peur redoubla quand il vit entrer deux des sbires de don Blas. L'un des sbires s'empara de lui et le conduisit à l'instant vers son chef. L'autre venait simplement avertir Sancha qu'elle était demandée au palais de l'inquisition ; sa mission était moins sévère.

1. ***Negro*** : autre appellation pour qualifier un homme du parti libéral.

Sancha plaisanta avec lui, et l'engagea à goûter d'un excellent vin de Rancio[1]. Elle voulait le faire jaser de façon à donner quelques indications à don Fernando, qui, du lieu où il était caché, pouvait tout entendre.

Le sbire raconta qu'en fuyant le revenant, Zanga était entré pâle comme la mort dans un cabaret, où il avait conté son aventure. Un des espions chargés de découvrir le *negro*, ou libéral, qui avait tué un royaliste, se trouvait dans ce cabaret, et avait couru faire son rapport à don Blas.

« Mais notre directeur, qui n'est pas gauche, ajouta le sbire, a dit tout de suite que la voix entendue par Zanga était celle du *negro*, caché dans le cimetière. Il m'a envoyé chercher le coffre, nous l'avons trouvé ouvert et taché de sang. Don Blas a paru fort surpris, et m'a envoyé ici. Partons. »

« Inès et moi, nous sommes mortes, se disait Sancha en s'acheminant avec son sbire vers le palais de l'inquisition. Don Blas aura reconnu le coffre ; il sait en ce moment qu'un étranger s'est introduit chez lui. »

La nuit était fort noire ; Sancha eut un instant l'idée de s'échapper.

« Mais non, se dit-elle, il serait infâme d'abandonner doña Inès qui est si naïve, et dans ce moment ne doit savoir que répondre. »

En arrivant au palais de l'inquisition, elle fut étonnée de ce qu'on la faisait monter au second étage, dans la chambre même d'Inès. Le lieu de la scène lui parut de sinistre augure. La chambre était fort éclairée.

Elle trouva doña Inès assise près d'une table, don Blas debout à ses côtés, le regard étincelant, et le coffre fatal ouvert devant eux. Il était couvert de sang. Au moment où elle entra, don Blas était occupé à interroger Zanga ; on le fit sortir à l'instant.

« Nous a-t-il trahies ? se dit Sancha. Aura-t-il compris ce que je lui ai dit de répondre ? La vie de doña Inès est entre ses mains. »

---

1. ***Rancio*** : vin doux et doré, fait à partir de liqueur qu'on a laissée vieillir.

Elle regarda doña Inès pour la rassurer ; elle ne vit dans ses yeux que du calme et de la fermeté. Sancha en fut étonnée.

« Où cette femme si timide prend-elle tant de courage ? »

Dès les premiers mots de sa réponse aux questions de don Blas, Sancha remarqua que cet homme, ordinairement si maître de lui, était comme fou. Bientôt il dit, se parlant à soi-même :

« La chose est claire ! »

Doña Inès entendit sans doute ce mot comme Sancha, car elle dit d'un air fort simple :

« Le grand nombre de bougies qui sont allumées dans cette chambre en fait une fournaise. »

Et elle se rapprocha de la fenêtre.

Sancha savait quel avait été son projet quelques heures auparavant : elle comprit ce mouvement. Aussitôt elle feignit une violente attaque de nerfs.

« Ces hommes veulent me tuer, s'écria-t-elle, parce que j'ai sauvé don Pedro Ramos. »

Et elle saisit fortement Inès par le poignet.

Au milieu de l'égarement d'une attaque de nerfs, les demi-mots de Sancha disaient qu'un instant après que Zanga avait eu rapporté chez elle le coffre de ses marchandises, un homme tout sanglant s'était élancé dans sa chambre un poignard à la main. « Je viens de tuer un volontaire royaliste, avait-il dit, les camarades du mort me cherchent. Si vous ne me secourez, je suis massacré sous vos yeux... »

« Ah ! voyez ce sang sur ma main, s'écria Sancha comme hors d'elle-même, ils veulent me tuer !

– Continuez, dit don Blas froidement.

– Don Ramos m'a dit : "Le prieur[1] du Couvent des Hiéronymites est mon oncle ; si je puis gagner son couvent, je suis sauvé." J'étais tremblante ; il aperçoit le coffre ouvert, d'où

1. ***Prieur*** : supérieur, qui dirige le couvent.

j'achevais d'ôter mes tulles anglais. Tout à coup il arrache les paquets qui s'y trouvaient encore, il se place dans le coffre. "Fermez la serrure sur moi, s'écrie-t-il, et faites porter ce coffre au couvent des Hiéronymites sans perdre un moment." Il me jette une poignée de ducats, les voilà ; c'est le prix d'une impiété, ils me font horreur.

– Trêve de mièvreries ! s'écria don Blas.

– J'avais peur qu'il ne me tuât si je n'obéissais, continua Sancha ; il tenait toujours dans sa main gauche le poignard dégouttant du sang du pauvre volontaire royaliste. J'ai eu peur, je l'avoue, j'ai fait appeler Zanga, qui a pris le coffre et l'a porté au couvent. J'avais…

– Pas un mot de plus, ou vous êtes morte », dit don Blas qui devinait presque que Sancha voulait gagner du temps.

Sur un signe de don Blas, on va chercher Zanga. Sancha remarque que don Blas, ordinairement impassible, est hors de lui ; il a des doutes sur l'être que, depuis deux ans, il croyait fidèle. La chaleur semble accabler don Blas ; mais, au moment où il aperçoit Zanga, que les sbires ramènent, il se précipite sur lui et lui serre le bras avec fureur.

« Nous voici arrivés au moment fatal, se dit Sancha. Cet homme va décider de la vie de doña Inès et de la mienne. Il m'est tout dévoué ; mais, ce soir, effrayé par le revenant et par le poignard de don Fernando, Dieu sait ce qu'il va dire ! »

Zanga, violemment secoué par don Blas, le regardait, les yeux effarés et sans répondre.

« Ah ! mon Dieu, pensa Sancha, on va lui faire prêter serment de dire la vérité, et il est si dévot, que jamais il ne voudra mentir. »

Par hasard, don Blas, qui ne se trouvait pas sur son tribunal, oublia de faire prêter serment au témoin. Enfin Zanga, éclairé par l'extrême danger, par les regards de Sancha, et par l'excès même de sa peur, se détermina à parler. Soit prudence ou trouble réel, son récit fut très embrouillé. Il disait qu'appelé par Sancha pour se charger de nouveau du coffre qu'il avait rapporté peu auparavant du palais de Monseigneur le directeur de la police, il l'avait trouvé beaucoup plus lourd. N'en pouvant plus de fatigue en passant près du mur du cimetière, il l'a appuyé sur le parapet. Une voix plaintive s'est fait entendre à son oreille : il s'est enfui.

Don Blas l'accablait de questions, mais paraissait lui-même accablé de fatigue. À une heure avancée de la nuit, il suspendit l'interrogatoire pour le reprendre le lendemain matin. Zanga ne s'était point encore coupé. Sancha pria Inès de lui permettre d'occuper le cabinet près de sa chambre, où autrefois elle passait la nuit. Probablement don Blas n'entendit pas le peu de mots qui furent dits à ce sujet. Inès, qui tremblait pour don Fernando, alla trouver Sancha.

« Don Fernando est en sûreté ; mais, Madame, continua Sancha, votre vie et la mienne ne tiennent qu'à un fil. Don Blas a des soupçons. Demain matin, il va menacer sérieusement Zanga, et lui faire parler par le moine qui confesse cet homme, et a tout empire sur lui. Le conte que j'ai fait n'était bon que pour parer au danger du premier moment.

– Eh bien, prends la fuite, ma chère Sancha, reprit Inès avec sa douceur ordinaire, et comme nullement émue du sort qui l'attendait dans peu d'heures. Laisse-moi mourir seule. Je mourrai heureuse ; j'ai avec moi l'image de Fernando. La vie n'est pas trop pour payer le bonheur de l'avoir revu après deux ans. Je t'ordonne de me quitter à l'instant. Tu vas descendre dans la grande cour et te cacher près de la porte. Tu pourras te sauver, je l'espère. Je ne demande qu'une chose : remets cette croix de diamants à don Fernando, et dis-lui que je bénis en mourant l'idée qu'il a eue de revenir de Majorque. »

À la pointe du jour, dès que l'angélus sonna, doña Inès éveilla son mari, pour lui dire qu'elle allait entendre la première messe au couvent des Clarisses. Quoiqu'il fût dans la maison, don Blas, qui ne lui répondit pas une syllabe, la fit accompagner par quatre de ses domestiques.

Arrivée dans l'église, Inès se plaça près de la grille des religieuses. Un instant après, les gardiens que don Blas avait donnés à sa femme virent les grilles s'ouvrir. Doña Inès entra dans la clôture. Elle déclara que, par un vœu secret, elle s'était faite religieuse, et jamais ne sortirait du couvent. Don Blas vint réclamer sa femme ; mais l'abbesse avait déjà fait prévenir l'évêque. Ce prélat répondit avec un air paterne[1] aux emportements de don Blas :

« Sans doute la très illustre doña Inès Bustos y Mosquera n'a nul droit de se vouer au Seigneur si elle est votre épouse légitime ; mais doña Inès craint qu'il n'y ait eu des nullités dans son mariage. »

Peu de jours après, doña Inès, qui plaidait avec son mari[2], fut trouvée dans son lit percée de plusieurs coups de poignard ; et, à la suite d'une conspiration découverte par don Blas, le frère d'Inès et don Fernando viennent d'avoir la tête coupée sur la place de Grenade.

---

1. ***Paterne*** : doucereux et protecteur.
2. ***Plaidait avec son mari*** : défendait sa cause contre son mari.

DOSSIER

- Portraits d'hommes
- À chaque pays son tempérament
- Des histoires rocambolesques
- Chassez l'intrus
- Un modèle pour Stendhal
- La clef de l'histoire
- Une vraie mascarade
- Fantômes et revenants
- Tragédies amoureuses
- Chroniques ou récits fictifs ?
- Histoire littéraire

Portraits d'hommes

1. Blond et doux de traits, bon chrétien, fils d'un brigadier des armées de don Carlos Cuarto, je cultive de mes propres mains un petit domaine, aidé de trois domestiques.

Qui suis-je ? ....

2. J'ai l'air d'un vieux comédien, mais mes mains sont chargées de bagues énormes. Mes deux fils se sont faits jésuites et sont morts fous. Je suis fâché que ma fille unique ne veuille pas se marier. Je suis romain et prince, mais j'ai de la sympathie pour les mouvements libéraux.

Qui suis-je ? ....

3. J'habite un somptueux palais, mon goût pour les jolies femmes est connu, je suis ministre de la Police mais répugne à faire couler le sang.

Qui suis-je ? ....

4. Ma race est antique, mais je suis pauvre. Chrétien fervent, je suis veuf et père d'une fille unique, aussi pieuse et innocente qu'une madone italienne.

Qui suis-je ? ....

5. Je fus un fameux chef de guérilla pendant la campagne napoléonienne. On m'accuse d'avoir été moine dans ma jeunesse et d'avoir jeté le froc aux orties. J'ai été envoyé huit ans aux galères. Depuis mon retour, je suis directeur de la police et brille par mon silence et ma cruauté.

Qui suis-je ? ....

6. Je ne suis qu'un modeste fils de chirurgien épris de liberté. Ma *vente* a été surprise. J'ai été emprisonné treize mois dans un cachot à

Rome, me suis évadé et suis maintenant recherché par tous les soldats de Rome.

Qui suis-je ? ....

À chaque pays son tempérament

Même si elles font toutes deux preuve d'héroïsme, Vanina la Romaine et Inès l'Andalouse ont des caractères bien différents.

Rendez à chacune des deux héroïnes les expressions qui lui conviennent :

Vanina •

Inès •

- « expression d'innocence et piété céleste »
- « un caractère altier »
- « douceur angélique »
- « furieuse »
- « parlait avec amitié, avec bonté »
- « sa folie fut grande »
- « si chaste et si timide »
- « joie cruelle »
- « hors d'elle-même »
- « avec le sourire amer du plus profond mépris »
- se dit l'« esclave » de son amant
- « orgueil »
- « glacée »

Des histoires rocambolesques

Reconstituez le fil de ces histoires mouvementées en remettant de l'ordre dans les événements.

Vanina Vanini

1. Vanina et Missirilli se rencontrent pour la dernière fois. Missirilli veut rompre avec Vanina.

2. Vanina se marie avec le prince Livio Savelli.

3. Inquiétudes amoureuses de part et d'autre puis quatre mois de bonheur.

4. Le bruit court qu'un jeune carbonaro vient de se sauver du château Saint-Ange où il était détenu.

5. Vanina le rejoint en Romagne, prête à l'aider, mais elle se rend compte qu'il l'aime moins qu'il n'aime sa patrie.

6. Cette personne lui avoue être un carbonaro évadé. Vanina prend conscience qu'elle en est amoureuse.

7. Guéri, Missirilli se sent appelé par son devoir de carbonaro, veut reprendre la lutte pour la liberté de l'Italie et se rendre en Romagne où se trouve sa *vente*, pour se venger du tort qu'on lui a fait.

8. Vanina fait tout pour sauver les détenus et son amant.

9. Vanina et Missirilli sont au château San Nicolò pendant que la *vente* des carbonari, dénoncée en secret par Vanina, est surprise. Tous sont arrêtés.

10. Au palais du duc de B***, la princesse Vanina Vanini est proclamée la reine du bal.

11. Vanina se prend de sympathie pour la jeune personne que son père abrite en secret.

12. Apprenant que sa *vente* a été découverte, Missirilli se constitue prisonnier pour se montrer solidaire de ses camarades.

13. Désespérée, Vanina lui avoue ses démarches pour le sauver et sa trahison.

Ordre : ... ...

Le Coffre et le Revenant

1. Doña Inès est poignardée dans son lit. Son frère et don Fernando ont la tête coupée.

2. Dix-huit mois plus tard, don Fernando revient de Majorque et rencontre Sancha, qui lui donne des nouvelles d'Inès.

3. Don Fernando, souffrant de sa mauvaise position dans le coffre, demande à Zanga de le retourner.

4. Zanga croit entendre un revenant et s'enfuit à toutes jambes.

5. Don Blas entre chez sa femme et aperçoit le coffre qu'il ne parvient pas à ouvrir.

6. Interrogés successivement, Sancha et Zanga réussissent à cacher la vérité.

7. Don Fernando fait un mouvement qui précipite le coffre ouvert dans le cimetière.

8. Don Fernando s'évanouit, puis se retrouve blessé sur une tombe, se relève et regagne le logement de Sancha.

9. À la nuit tombée, Zanga vient rechercher chez Inès le coffre dans lequel don Fernando se trouve toujours. En route, il appuie le coffre sur le mur du cimetière.

10. Don Jaime Arregui, père d'Inès, plaide la cause de son futur gendre auprès de don Blas. Don Blas demande à don Jaime la main de sa fille, et promet, si celui-ci accepte, de laisser don Fernando s'échapper.

11. Don Blas part chercher de l'aide pour ouvrir le coffre. En route, il est retenu par une affaire politique : un libéral, Pedro Ramos, vient de tuer un royaliste au café de la Grande-Place. Le coffre est momentanément oublié.

12. Le lendemain doña Inès se rend au couvent des Clarisses pour s'y faire religieuse.

13. Huit jours après, don Fernando rencontre à nouveau Sancha, et s'introduit dans le coffre plein de tissus de contrebande qu'elle s'apprêtait à porter chez Inès.

14. Zanga, un cousin de Sancha, transporte le coffre au palais de l'inquisition, dans la chambre d'Inès.

15. Don Fernando, une fois parvenu, toujours enfermé dans le coffre, jusqu'à la chambre d'Inès, se fait reconnaître. Elle est d'abord scandalisée, puis émue.

16. Les sbires de don Blas arrivent chez Sancha. L'un d'eux l'emmène au palais de l'inquisition, dans la chambre d'Inès, où don Blas essaie d'obtenir des explications pour ce coffre vide et couvert de sang.

17. À l'église d'Alcolote, don Blas fait arrêter puis mettre en prison le jeune et beau don Fernando de la Cueva.

18. Inès épouse don Blas.

Ordre : ... ...

Chassez l'intrus

Chacune de ces deux listes cache un intrus. Débusquez-le.

jésuites – église – États du pape – Angélus – livre d'Heures – ermites – cardinal-légat – prélat – congrégation – aumônier – péché – confesseur – abbé – autel – évêque – capucin – froc – messe – piété – chapelet – croix – moine – curés – baptême – inquisition – Clarisses – crucifix – dévot – chapelle – sbires – madone – cimetière

Intrus : ....

carabiniers – pistolets – poison – patrouilles – prison – citadelle – cachots – lime – aimée – gendarmes – brigadier – garnison – soldat – officier – espion – trahison – agent – ministre de la police – prévenu – gouverneur – évasion – exécution – condamnation – chaînes – procès – supplices atroces – poing coupé – baïonnette – sentence – meurtre – pistolet – geôlier – presbytère – fers – charrettes – galère – guérilla – sentinelle – garrotte – fusillade – contrebandiers – conspiration

Intrus : ....

Un modèle pour Stendhal

Quel est le mystérieux personnage dont le nom et la fonction ont été effacés de ce texte ?

« Vanina ne doutait pas que le plus grand bonheur de Pietro ne fût de lui rester à jamais attaché ; il semblait trop heureux ; mais un mot du .... retentissait amèrement dans l'âme de ce jeune homme, et influençait toute sa conduite à l'égard des femmes.
En 1796, comme le .... quittait Brescia, les municipaux qui l'accompagnaient à la porte de la ville lui disaient que les Bressans aimaient la liberté par-dessus tous les autres Italiens.
– Oui, répondit-il, ils aiment à en parler à leurs maîtresses. »

La clef de l'histoire

Portes verrouillées, serrures forcées, les héros des deux nouvelles ne cessent d'ouvrir et de fermer à clef. Saurez-vous attribuer à chaque tour de clef son auteur ?

Vanina Vanini

1. Vanina aperçoit .... fermant à clef la porte d'un petit escalier qui conduit à un appartement situé au troisième étage du palais.

2. Le lendemain, ... parvint à se procurer la clef d'une porte qui ouvrait sur la terrasse garnie d'orangers.

3. .... le quitta pour les préparatifs du voyage, en fermant à clef, comme de coutume, la petite chambre où elle l'avait caché.

4. .... se procure une clef du cabinet de son oncle, monsignor Catanzara, pour savoir quel sort est réservé aux carbonari arrêtés sur dénonciation de Vanina.

5. Le lendemain, ... rentra dans son palais vers le minuit. Il ferma sa porte à clef ; Vanina réussit pourtant à s'introduire dans sa chambre.

Le Coffre et le Revenant

1. .... donne à Inès la clef de sa caisse afin qu'elle y prenne de l'argent qu'elle remettra à Sancha pour prix de son départ.

2. .... ferme à clef le coffre dans lequel don Fernando vient d'entrer.

3. Une fois introduit dans la chambre d'Inès, ... fait céder le pêne de la serrure du coffre.

4. Inès entre dans sa chambre et s'endort. .... va alors fermer la porte de la chambre à clef.

5. Tandis que .... actionne la serrure du coffre où il se renferme, ... actionne la clef qui ouvre sa porte à don Blas.

6. .... demande la clef du coffre à Inès. Elle ne l'a pas. Il essaie d'ouvrir la serrure avec son poignard, puis avec des crochets anglais, en vain.

Une vraie mascarade

1. Vanina se déguise :

A. une fois
B. deux fois
C. trois fois

2. Elle se déguise :

A. en valet
B. en paysanne
C. en marchande

3. Elle se déguise dans le but de :

A. s'introduire chez le ministre de la Police, monsignor Catanzara
B. rejoindre Missirilli
C. rejoindre Livio Savelli

4. Missirilli se déguise :

A. une fois
B. deux fois
C. trois fois

5. Il se déguise :

A. en cardinal
B. en carabinier
C. en jeune fille

6. Dans quel but ?

A. pour pouvoir entrer dans un couvent
B. pour fuir les soldats romains
C. pour rejoindre sa maîtresse sans être reconnu par le mari

7. Quel accessoire l'ancienne femme de chambre de Vanina utilise-t-elle pour se dissimuler quand elle va dénoncer la *vente* des carbonari au cardinal-légat ?

A. un masque
B. une cape

8. Pourquoi se dissimule-t-elle ?

A. parce que le cardinal est son ancien maître et qu'elle s'est récemment enfuie de chez lui
B. pour qu'on ne puisse soupçonner l'origine de la dénonciation : Vanina, son ancienne maîtresse

Fantômes et revenants

1. Qui croit voir des fantômes dans *Vanina Vanini* ?

A. La comtesse Vitteleschi
B. Monsignor Catanzara
C. Vanina

2. **Ces fantômes sont en fait :**

A. de grands seigneurs du Moyen Âge morts dans la prison voisine et mystérieusement revenus à la vie
B. Missirilli chargé de chaînes et son geôlier

3. **Qui croit avoir une vision ou entendre des voix dans *Le Coffre et le Revenant* ?**

A. Le vieux gentilhomme don Jaime Arregui
B. Doña Inès, sa fille
C. Don Blas
D. Don Fernando
E. Sancha
F. Zanga

4. **Quelle est la cause réelle de ces impressions ?**

A. le fantôme de don Fernando mort au loin
B. Don Fernando réellement agenouillé devant le crucifix dans la chambre d'Inès
C. la voix de don Fernando qui se fait entendre depuis le coffre où il est enfermé
D. la voix d'un revenant tout droit sorti du cimetière

Tragédies amoureuses

1. **Parmi ces termes, certains vont de pair, d'autres sont incompatibles avec l'amour-passion tel que le conçoit Stendhal. Triez-les :**

clairvoyance – bonheur paisible – tempérament français – tempérament espagnol – tempérament italien – souci du devoir – folie – égarement – idées d'avenir – bon sens – excès – fureur – évanouissement – audace – joie de sacrifier sa vie à son amour – maîtrise de soi – retenue

Compatibles avec l'amour-passion :

....

....

....

Incompatibles avec l'amour-passion :

....

....

....

2. Quels obstacles rencontre l'amour dans les deux nouvelles ?

A. la différence de rang social
B. le mariage d'un des deux amants
C. l'égarement de la passion qui pousse à commettre des actes inconsidérés
D. le pouvoir de vie ou de mort qu'a un tiers sur un des deux amants
E. la jalousie d'un tiers

3. Pour Stendhal, l'amour est voué à durer :

A. indéfiniment
B. sept ans
C. une courte période très intense

Chroniques ou récits fictifs ?

Ces deux nouvelles proviennent-elles de faits divers ou de l'imagination pure du romancier ? Stendhal aime en tout cas à faire croire que ce sont des faits réels. Quels indices en donne-t-il ?

	Vrai	Faux
La dernière phrase de chaque nouvelle est au présent.	❑	❑
Stendhal dit avoir été témoin de ces aventures quand il était à Rome et à Grenade.	❑	❑
Vanina Vanini comporte des données historiques.	❑	❑
Le contexte politique de chaque nouvelle est vraisemblable.	❑	❑
Les héros des deux nouvelles ont bel et bien existé.	❑	❑
Stendhal avoue carrément qu'il a puisé ces histoires dans des chroniques historiques.	❑	❑

Histoire littéraire

« Elle passa tout le jour des fiançailles chez elle à se parer, pour se trouver le soir au bal et au festin royal qui se faisait au Louvre. Lorsqu'elle arriva, l'on admira sa beauté et sa parure ; le bal commença et, comme elle dansait avec Monsieur de Guise, il se fit un assez grand bruit vers la porte de la salle, comme de quelqu'un qui entrait et à qui on faisait place. Madame de Clèves acheva de danser et pendant qu'elle cherchait des yeux quelqu'un qu'elle avait dessein de prendre, le roi lui cria de prendre celui qui arrivait. Elle se tourna et vit un homme qu'elle crut d'abord ne pouvoir être que Monsieur de Nemours, qui passait par-dessus quelques sièges pour arriver où l'on dansait. Ce prince était fait d'une sorte qu'il était difficile de n'être pas surprise de le voir quand on ne l'avait jamais vu, surtout ce soir-là, où le soin qu'il avait pris de se parer augmentait encore l'air brillant qui était dans sa personne ; mais il était difficile aussi de voir Madame de Clèves pour la première fois sans avoir un grand étonnement. »

Mme de Lafayette, *La Princesse de Clèves.*

À quelle scène d'une des nouvelles de Stendhal vous fait penser cet extrait ?

DERNIÈRES PARUTIONS

BALZAC
Le Bal de Sceaux (132)

CARRIÈRE (JEAN-CLAUDE)
La Controverse de Valladolid (164)

« C'EST À CE PRIX QUE VOUS MANGEZ DU SUCRE... »
Anthologie (187)

CEUX DE VERDUN
Les écrivains et la Grande Guerre (134)

CHRÉTIEN DE TROYES
Perceval ou le Conte du Graal (88)
Yvain ou le Chevalier au lion (66)

CLAUDEL (PHILIPPE)
Les Confidents et autres nouvelles (246)

COLETTE
Le Blé en herbe (257)

CRIME N'EST JAMAIS PARFAIT (LE)
Nouvelles policières 1 (163)

DEFOE
Robinson Crusoe (120)

DE L'ÉDUCATION
Apprendre et transmettre de Rabelais à Pennac (137)

FERNEY (ALICE)
Grâce et dénuement (197)

FÊTE (LA)
Anthologie (259)

FLAUBERT
La Légende de saint Julien l'Hospitalier (111)

GRUMBERG (JEAN-CLAUDE)
L'Atelier (196)

HOMÈRE
L'Odyssée (125)

HUGO
Les Misérables, t. I et II (96 et 97)
Quatrevingt-treize (241)
Ruy Blas (243)

JAMES (HENRY)
Le Tour d'écrou (236)

JEAN DE LÉRY
Le Nouveau Monde, Récits de voyage 1 (251)

LAROUI (FOUAD)
L'Oued et le Consul et autres nouvelles (239)

MAUPASSANT
Le Horla (11)
Le Papa de Simon (4)

MÉRIMÉE
Carmen (145)
Mateo Falcone. Tamango (104)

MOLIÈRE
Le Bourgeois gentilhomme (133)
George Dandin (60)
Le Médecin volant. La Jalousie du Barbouillé (242)

MONTESQUIEU
Lettres persanes (95)

NOUVELLES FANTASTIQUES 2
Je suis d'ailleurs et autres récits (235)

OVIDE
Les Métamorphoses (92)

PIRANDELLO
Donna Mimma et autres nouvelles (240)

RISQUE ET PROGRÈS
Anthologie (258)

SAND
Les Ailes de courage (62)

SHAKESPEARE
Roméo et Juliette (118)

STOKER
Dracula (188)

SURRÉALISME (LE)
Anthologie (152)

TCHÉKHOV
La Mouette (237)

WILDE
Le Fantôme de Canterville (33)

Création maquette intérieure :
Sarbacane Design.

Composition : IGS-CP.

GF Flammarion

06/11/125397-XI-2006 – Impr. MAURY Eurolivres, 45300 Manchecourt.
N° d'édition LO1EHROOO113N001. – novembre 2006. – Printed in France.